하루 한 장 60일 집중 완성

교과도형

초6

F3

원, 원기둥, 원뿔, 구

히어로컨텐츠 HEROCONTENS

발행일: 2022년 5월 발행인: 이예찬

기획개발: 두줄수학연구소

디자인: 4BD STUDIO 삽화: 1000DAY

발행처: 히어로컨텐츠

주소: 서울특별시 금천구 서부샛길 632, 7층(대륭테크노타운5차)

전화: 02-862-2220 팩스: 02-862-2227

지원카페: cafe.naver.com/eduherocafe 인스타그램: @edu__hero

하루 한 장 60일 집중 완성 교과도형은

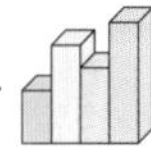

달라진 교과서와 학교 수업 진도에 맞추어 학습자가 체계적으로 도형을 학습할 수 있도록 안내합니다.

이전의 도형 학습이 도형의 정의와 성질을 외우고, 도형의 측정결과를 계산하는 '결과' 중심의 학습이었다면 지금의 도형 학습은 공간에 대한 이해와 해석(공간감각)을 바탕으로 모양을 인식하고 변화를 유추하고 다양한 방법으로 도형을 측정하고 그 결과를 표현하는 '과정' 중심의 학습입니다.

교과도형은 수학교육의 변화와 핵심을 이해하고 올바른 방향을 제시해 주는 든든한 길잡이가 될 것입니다.

하루 한 장 60일 집중 완성 교과도형은

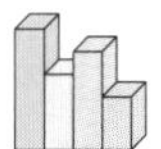

① 공간감각 ② 도형표현 ③ 도형측정을 중심으로 교과서에서 다루는 모든 도형을 체계적으로 학습합니다.

공간감각

도형을 효과적으로 학습하기 위해서는 공간을 이해하고 해석하는 능력, 즉 '공간감각'이 필요합니다.

공간감각은 경험과 상상력을 바탕으로 머릿속에서 도형을 조작하고 결과를 유추하는 능력입니다. 공간감각은 단시간에 길러지지 않으므로 어릴 때부터 꾸준하게 학습하고 구체적인 경험을 쌓는 것이 중요합니다.

'교과도형'의 각 권 마지막에 있는 '도형플러스'는 각 권의 학습목표와 연계하여 공간감각을 한 단계 더 높여줄 수 있는 내용으로 구성하였습니다.

도형표현

공간에 존재하는 도형은 표현되었을 때 더 큰 의미를 가집니다.

- 삼각형을 찾는 것에서 그치지 않고 다양한 삼각형을 직접 그려 보고 왜 삼각형인지 설명하는 것
- 쌓기나무로 만든 모양을 위치와 방향을 이용하여 설명하는 것
- 도형을 여러 가지 기준과 특징에 따라 분류하고 왜 그렇게 분류했는지 설명하는 것
- 도형을 위·앞·옆에서 바라보고 그 모습을 그림으로 표현하는 것 등이 모두 '도형표현'입니다.

'교과도형'은 도형과 관련한 작은 그림에서부터 서술형 문장제까지 도형을 표현하는 다양한 방법을 효과적으로 학습합니다.

도형측정

측정은 도형과 아주 밀접한 관계가 있으므로 도형을 학습하면서 반드시 함께 다루어야 하는 영역입니다.

길이, 각도, 둘레, 넓이, 부피 등 흔히 '도형' 영역이라 생각하는 것이 사실 초등 교육과정에서는 '측정' 영역에 해당합니다. 사각형을 학습하는 것은 도형이지만 사각형의 둘레와 넓이를 구하는 것은 측정입니다. 각의 종류를 학습하는 것은 도형이지만 각도를 재는 것은 측정입니다. 이처럼 길이, 각도, 둘레, 넓이, 부피 등은 결국 도형을 측정하는 것입니다.

'교과도형'은 교과서의 모든 '도형' 영역을 다루었습니다. 여기에 도형과 반드시 연계하여 학습해야 하는 '측정' 영역을 추가로 다루어 더욱 완성된 도형 학습을 할 수 있도록 도와줍니다.

하루 한 장 60일 집중 완성 교과도형은

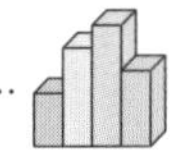

7세부터 6학년까지 총 7단계 21권(단계별 3권)으로 구성되어 있으며 각 권은 매일 한 장씩 4주간 체계적으로 학습할 수 있습니다.

1권, 20일

2권, 20일

3권, 20일

대 상	단 계	구 성
7세 ~ 1학년	P	P1, P2, P3
1학년	A	A1, A2, A3
2학년	B	B1, B2, B3
3학년	C	C1, C2, C3
4학년	D	D1, D2, D3
5학년	E	E1, E2, E3
6학년	F	F1, F2, F3

교과도형의 각 단계는 1, 2, 3권을 차례대로 학습합니다.

교과도형, 한 권이면 충분합니다

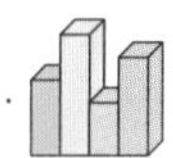

교과도형은 공간감각, 도형표현, 도형측정을 중심으로 교과서에서 다루는 모든 도형을 학습하고,
공간감각 향상을 위한 '도형플러스'와 학습 결과를 확인하는 '형성평가'를 제공합니다.

1 주차별 학습

공간감각

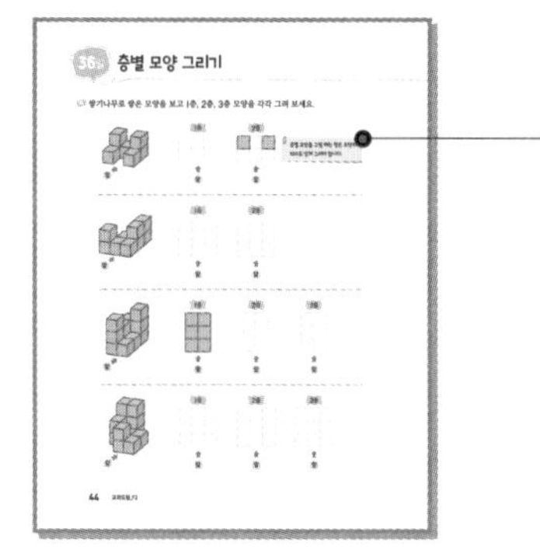

도형 학습의 바탕이 되는 공간감각을 길러줍니다.

도형표현

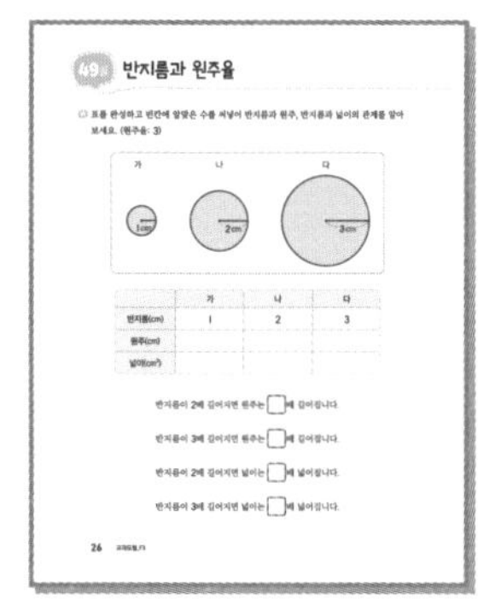

다양한 그림과 문장제로 도형을 표현하는 방법을 배웁니다.

도형측정

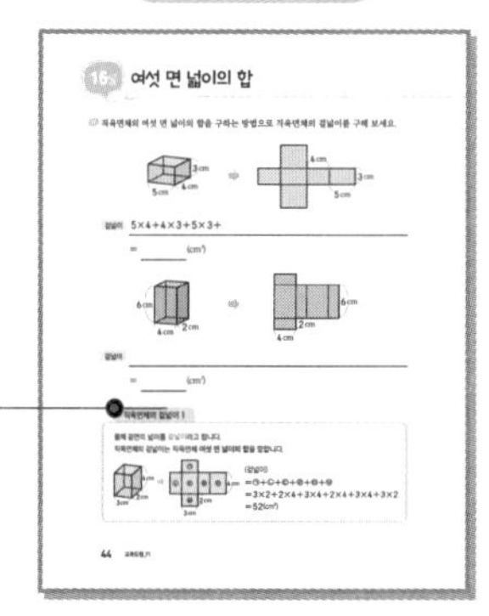

도형 학습에 필수적인 측정을 도형과 연계하여 학습합니다.

[체크 박스]
문제를 해결하는 데 도움이 되는 정보를 제공합니다.

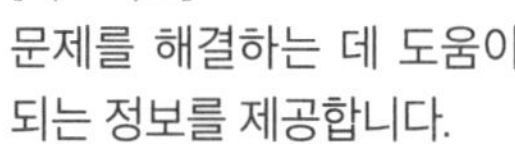

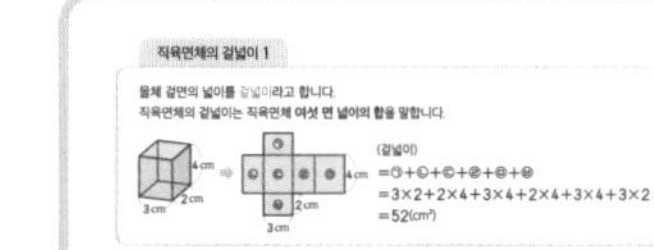

[개념 포인트]
학습할 때 꼭 필요한 기본 개념을 설명합니다.

2 도형플러스

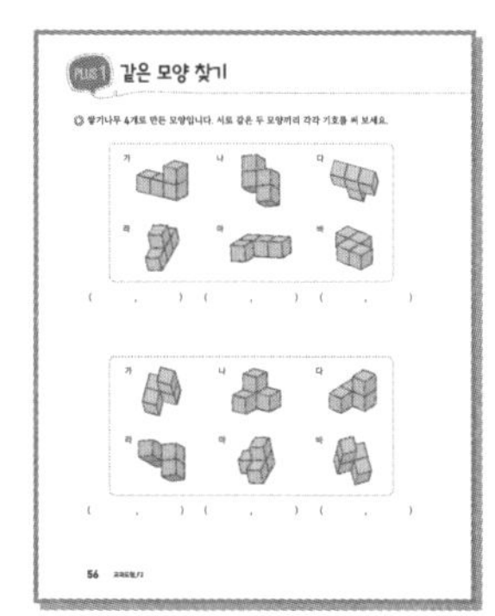

각 권의 학습 주제와 연계하여 공간감각을 더욱 향상시킵니다.

3 형성평가

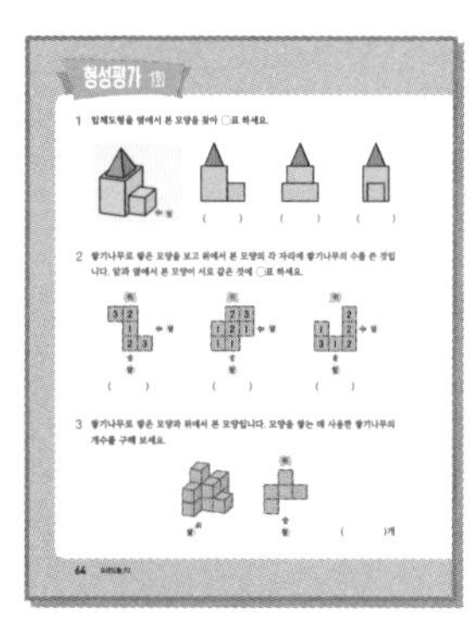

학습한 내용을 다시 한 번 복습하고 정리합니다.

이 책의 차례

1주차
41~45일

원주와 원주율

41일 원주

지름이 2 cm인 원 안에 정육각형, 원 밖에 정사각형을 그렸습니다. 수직선의 점선을 따라 둘레를 알맞게 표시하고, 빈칸에 알맞은 수를 써넣으세요.

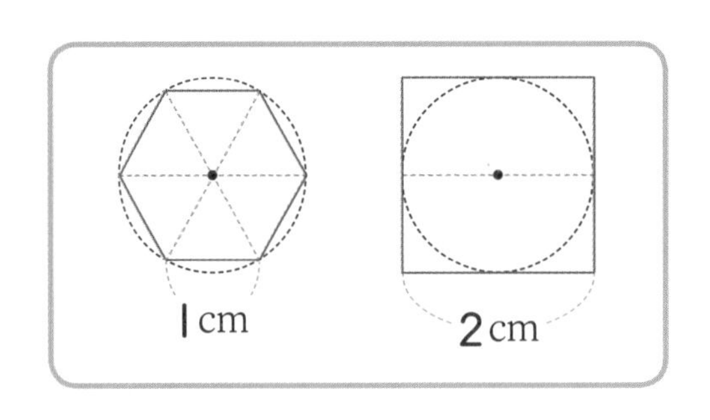

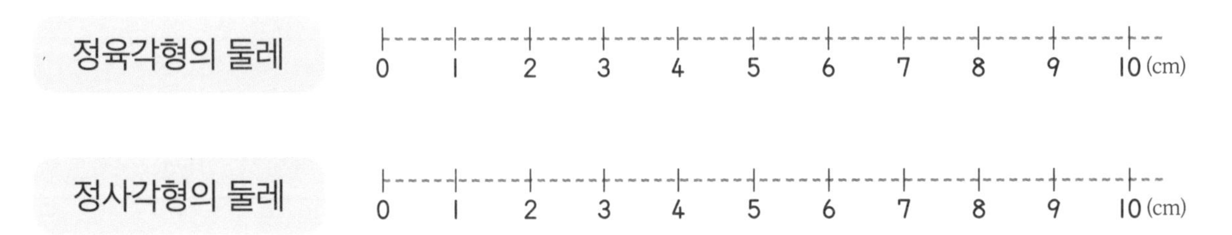

정육각형의 둘레는 원의 지름의 ☐배, 정사각형의 둘레는 원의 지름의 ☐배입니다.

(원의 지름)×☐ < (원주) < (원의 지름)×☐

원주

원의 둘레를 원주라고 합니다.

원의 지름
원의 반지름
원주

원의 지름
원주

원주는 지름의 **3**배보다 길고, **4**배보다 짧습니다.

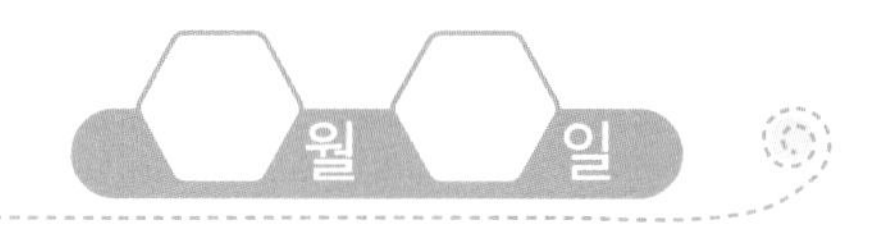

원주와 가장 비슷한 길이에 ◯표 하세요.

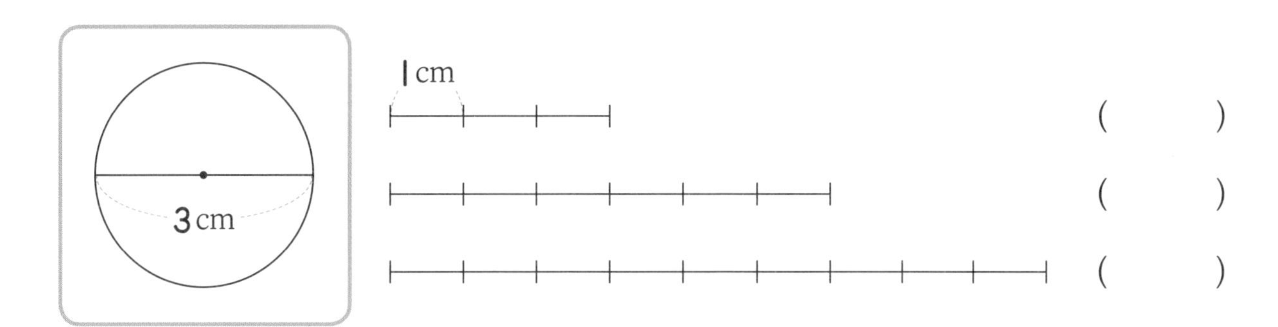

( )

( )

( )

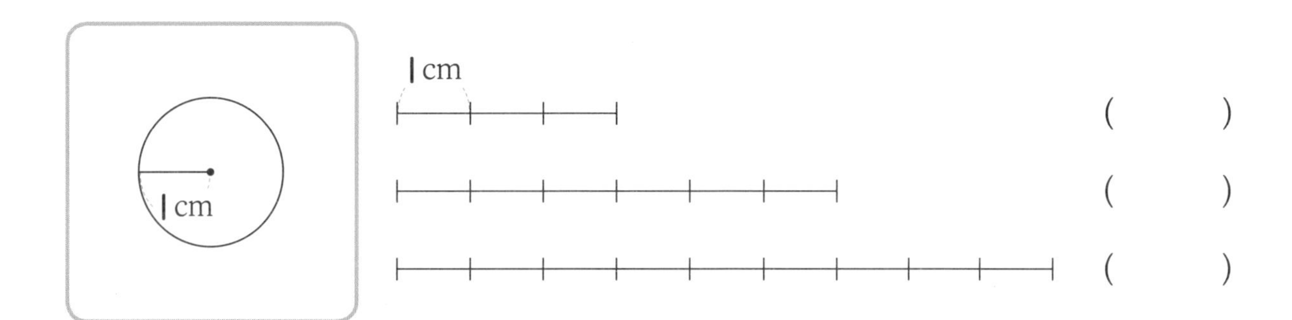

( )

( )

( )

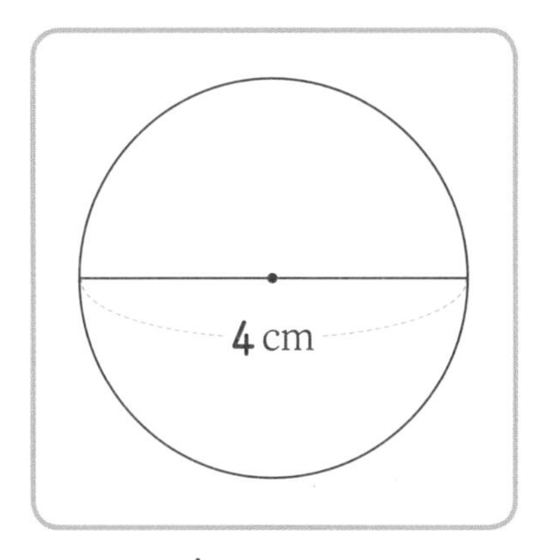

1 cm

( )

( )

( )

42일 원주율

(원주) ÷ (지름)을 반올림하여 주어진 자리까지 나타내어 보세요.

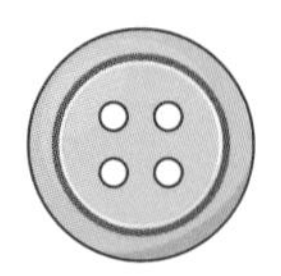

지름: 3 cm
원주: 9.43 cm

반올림하여 일의 자리까지	3
반올림하여 소수 첫째 자리까지	
반올림하여 소수 둘째 자리까지	

지름: 23 cm
원주: 72.25 cm

반올림하여 일의 자리까지	
반올림하여 소수 첫째 자리까지	
반올림하여 소수 둘째 자리까지	

지름: 60 cm
원주: 188.5 cm

반올림하여 일의 자리까지	
반올림하여 소수 첫째 자리까지	
반올림하여 소수 둘째 자리까지	

원주율

원의 지름에 대한 원주의 비율을 원주율이라 합니다. **원주율은 항상 일정**합니다.

(원주율) = (원주) ÷ (지름)

원주율을 소수로 나타내면 3.14159265358979323……와 같이 끝없이 계속되므로 필요에 따라 3, 3.1, 3.14 등으로 어림하여 사용합니다.
원주율을 소수 셋째 자리에서 반올림하면 3.14이고, 이 수로 계산을 해도 99% 이상 정확한 값을 구할 수 있습니다. 따라서 시간이 적게 걸리면서 정확한 값을 구하는 수로 3.14를 많이 사용합니다.

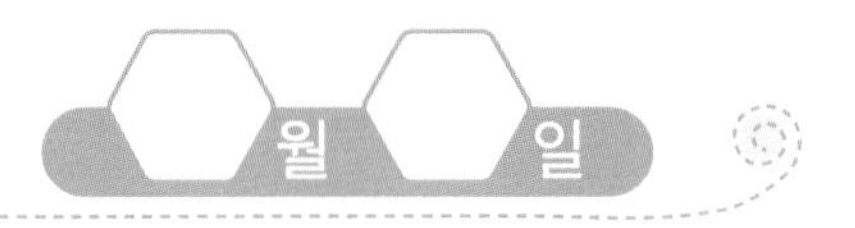

11 원을 보고 바르게 설명한 것에 ◯표, 잘못 설명한 것에 ×표 하세요.

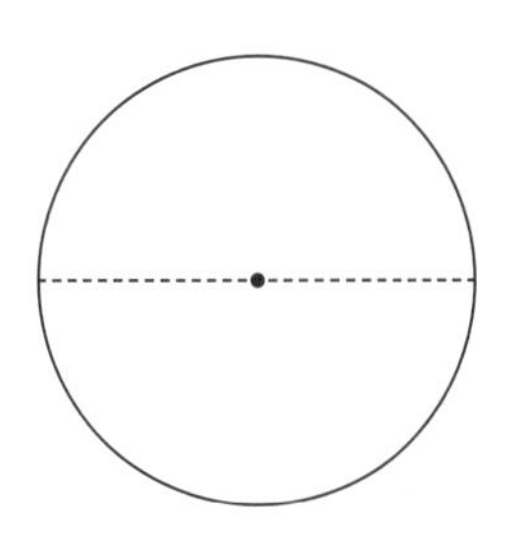

원의 지름이 길어지면 원주도 길어집니다. ………… (　　　)

원의 지름이 길어지면 원주율도 커집니다. ………… (　　　)

원주는 지름보다 길이가 더 깁니다. ………… (　　　)

원주가 길어지면 원주율도 커집니다. ………… (　　　)

원주는 반지름의 약 3배입니다. ………… (　　　)

원의 크기가 달려져도 원주율은 변하지 않습니다. ………… (　　　)

43일 원주 구하기

원주를 구해 보세요. (원주율: 3.14)

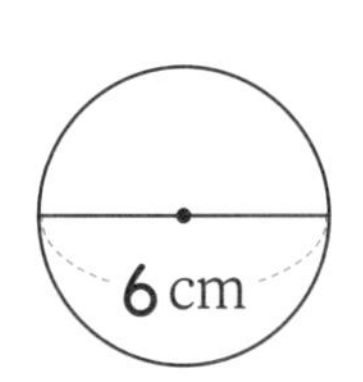

식 6 × ☐ = ☐

답 ______ cm

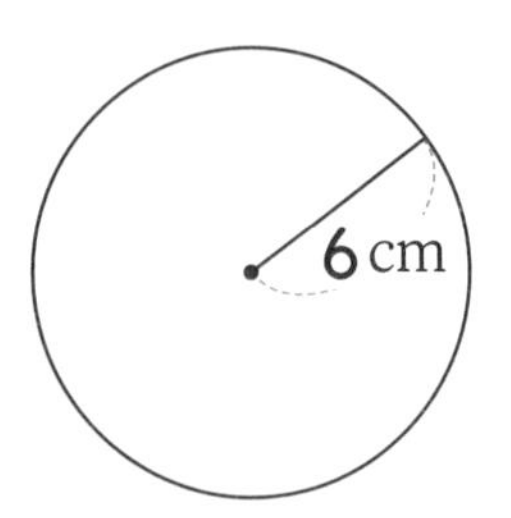

식 ☐ × 3.14 = ☐

답 ______ cm

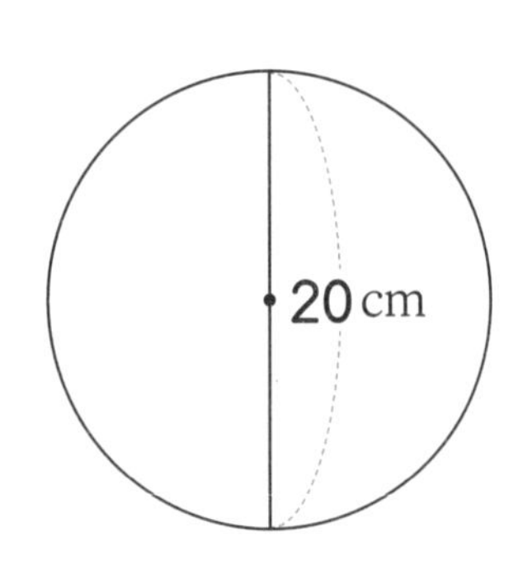

식 ______

답 ______ cm

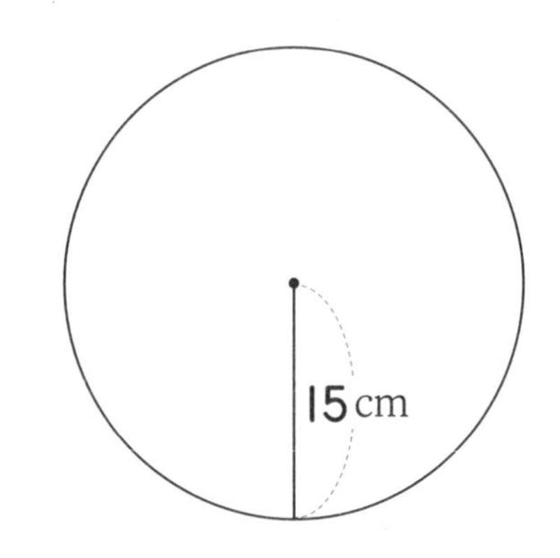

식 ______

답 ______ cm

지름, 원주, 원주율의 관계

(원주율)=(원주)÷(지름)을 이용하면 지름을 알 때 원주를, 원주를 알 때 지름을 구할 수 있습니다.

(원주) = (지름) × (원주율) = **(반지름) × 2 × (원주율)**

(지름) = (원주) ÷ (원주율)

원주는 지름의 약 3배입니다.

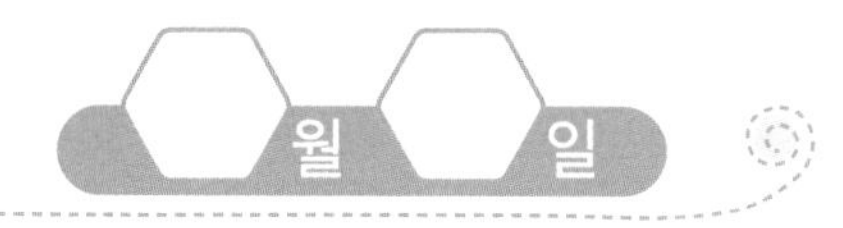

11 물음에 답하세요.

종이띠를 겹치지 않게 이어 붙여 지름이 10 cm인 원을 만들었습니다. 종이띠의 길이는 몇 cm일까요? (원주율: 3.14)

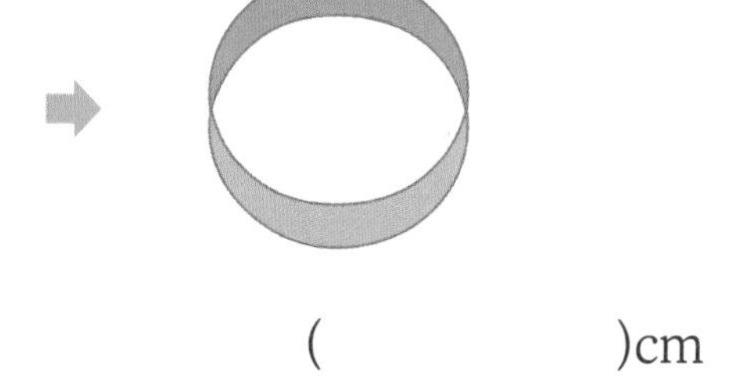

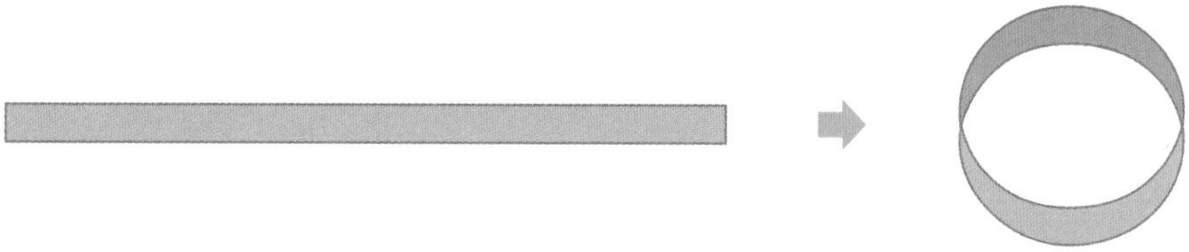

( )cm

컴퍼스를 8 cm만큼 벌려서 원을 그렸습니다. 그린 원의 원주는 몇 cm일까요? (원주율: 3)

( )cm

원주가 가장 긴 원부터 차례로 기호를 써 보세요. (원주율: 3.1)

가	나	다
지름이 5 cm인 원	반지름이 4 cm인 원	원주가 27.9 cm인 원

(, ,)

44일 지름 구하기

원의 지름을 구해 보세요. (원주율: 3.1)

식 $\square \div 3.1 = \square$

답 ______ cm

식 $12.4 \div \square = \square$

답 ______ cm

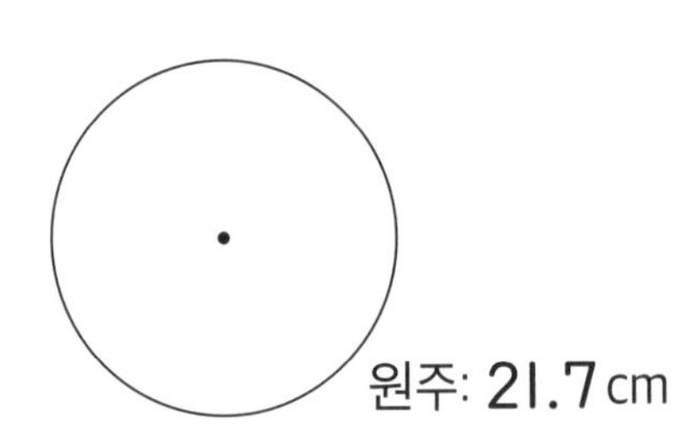

식 ______

답 ______ cm

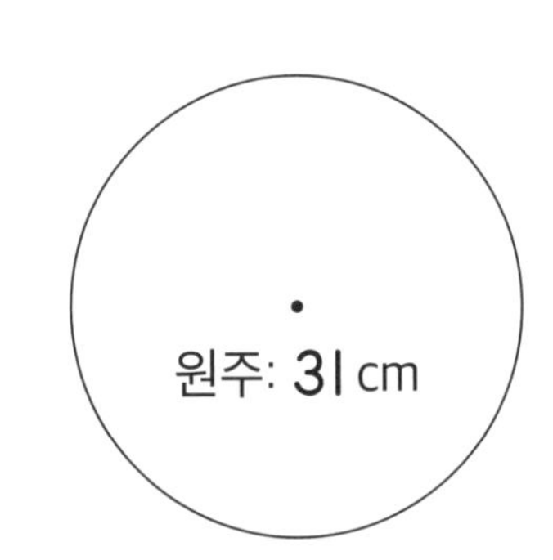

식 ______

답 ______ cm

식 ______

답 ______ cm

원주: 27.9 cm

식 ______

답 ______ cm

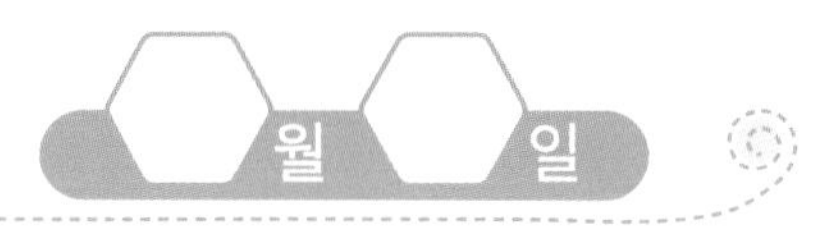

물음에 답하세요.

100원짜리 동전의 원주는 75.36 mm입니다. 100원짜리 동전의 지름은 몇 mm일까요? (원주율: 3.14)

( )mm

컴퍼스를 이용하여 원주가 36 cm인 원을 그렸습니다. 컴퍼스를 몇 cm만큼 벌렸을까요? (원주율: 3)

( )cm

원주가 201.5 cm인 자전거 바퀴와 원주가 186 cm인 자동차 바퀴가 있습니다. 자전거 바퀴는 자동차 바퀴보다 지름이 몇 cm 더 길까요? (원주율: 3.1)

( )cm

45일 원주와 지름

물음에 답하세요.

작은 원의 원주는 몇 cm일까요? (원주율: 3.1)

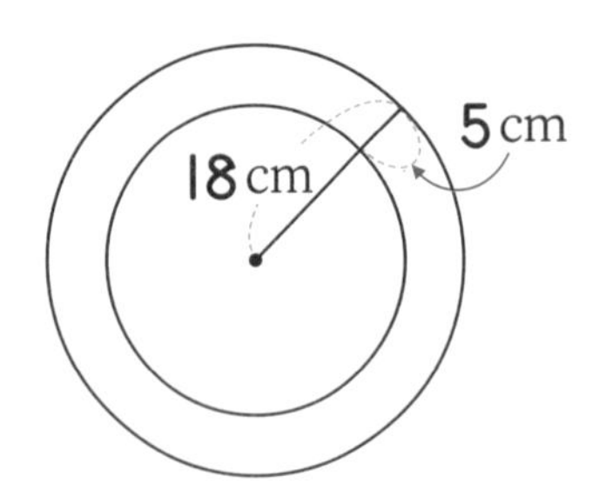

(　　　　　　)cm

지름이 40 cm인 바퀴를 5바퀴 굴렸습니다. 바퀴가 굴러간 거리는 몇 cm일까요? (원주율: 3.14)

(　　　　　　)cm

지름이 15 m인 연못 둘레에 5 m 간격으로 깃발을 꽂았습니다. 연못 둘레에 꽂은 깃발은 모두 몇 개일까요? (원주율: 3)

(　　　　　　)개

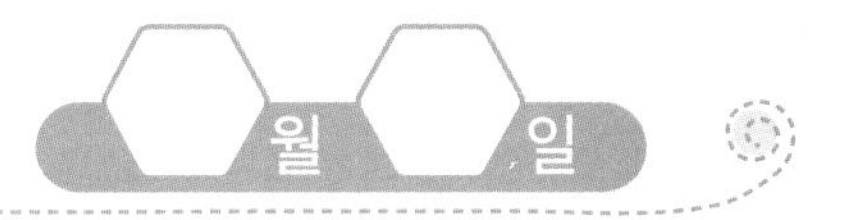

11 물음에 답하세요.

원주가 93 cm인 피자를 밑면이 정사각형 모양인 상자에 담으려고 합니다. 상자 밑면의 한 변의 길이는 적어도 몇 cm여야 할까요? (원주율: 3.1)

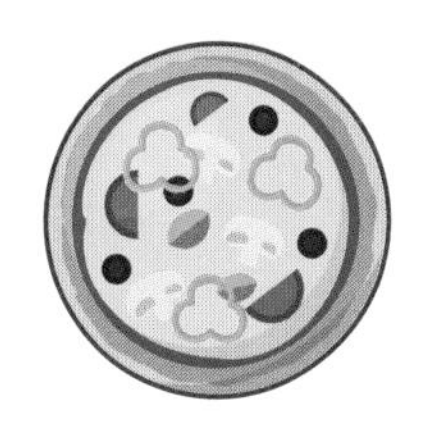

(　　　　　)cm

큰 원의 원주는 49.6 cm입니다. 작은 원의 지름은 몇 cm일까요? (원주율: 3.1)

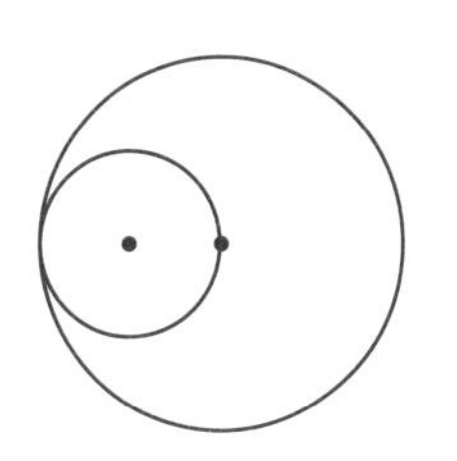

(　　　　　)cm

바퀴를 10바퀴 굴렸더니 1570 cm만큼 굴러갔습니다. 이 바퀴의 반지름은 몇 cm일까요? (원주율: 3.14)

(　　　　　)cm

11 지름이 같은 통조림을 종이띠로 겹치지 않게 감았습니다. 통조림은 감는 데 사용한 종이띠의 길이를 구해 보세요. (원주율: 3)

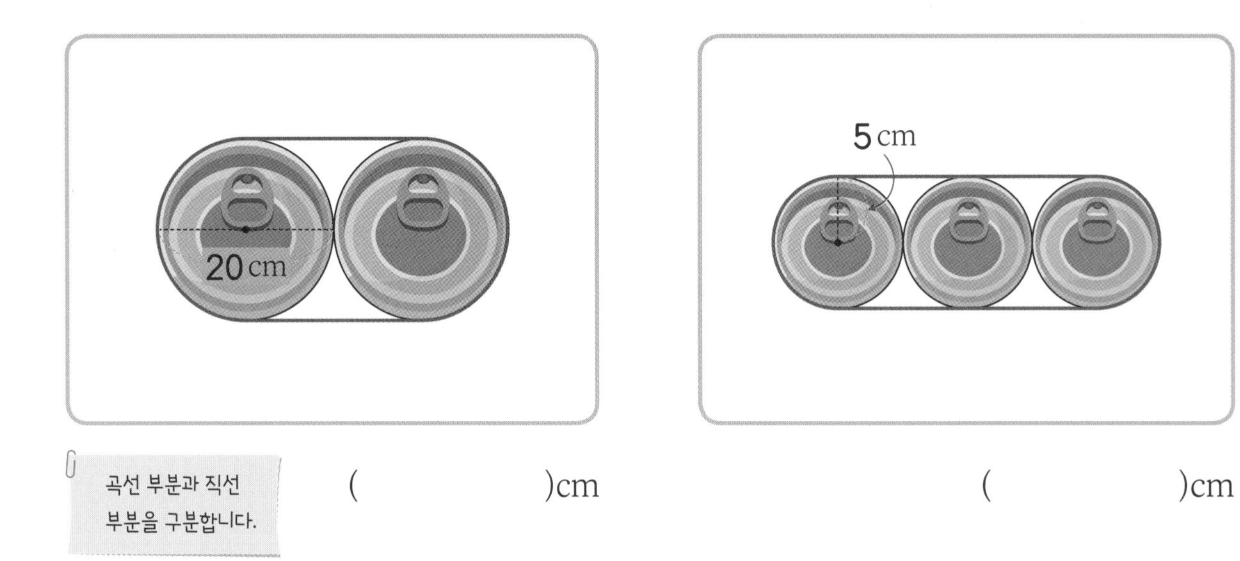

곡선 부분과 직선 부분을 구분합니다.

(　　　　　　)cm　　(　　　　　　)cm

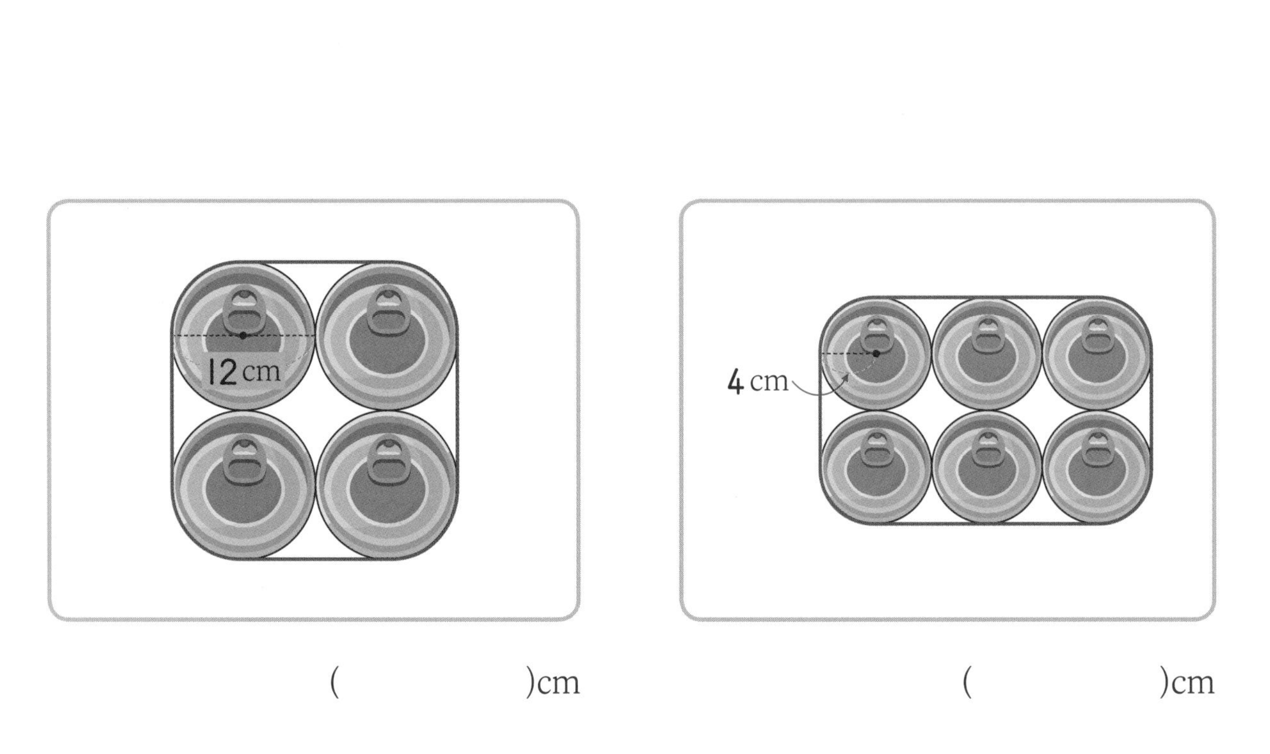

(　　　　　　)cm　　(　　　　　　)cm

2주차
46~50일

원의 넓이

46일 넓이 어림하기

11 원의 안과 밖에 정사각형을 그려 원의 넓이를 어림하려고 합니다. 빈칸에 알맞은 수를 써넣으세요.

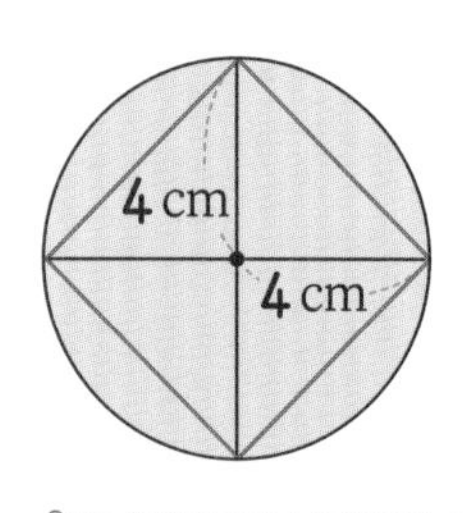

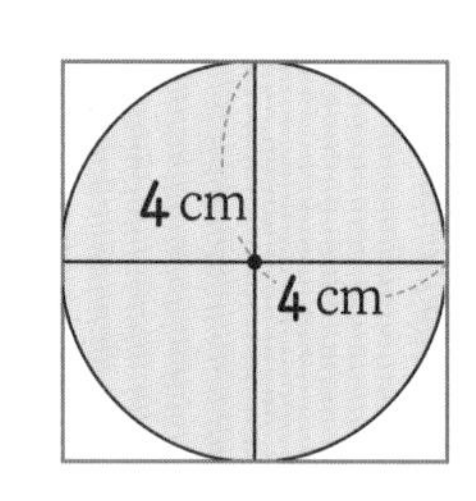

원 안의 정사각형의 넓이: ☐ cm^2

원 밖의 정사각형의 넓이: ☐ cm^2

☐ cm^2 < (원의 넓이) < ☐ cm^2

원의 넓이는 원 안 정사각형보다 넓고, 원 밖 정사각형 보다 좁습니다.

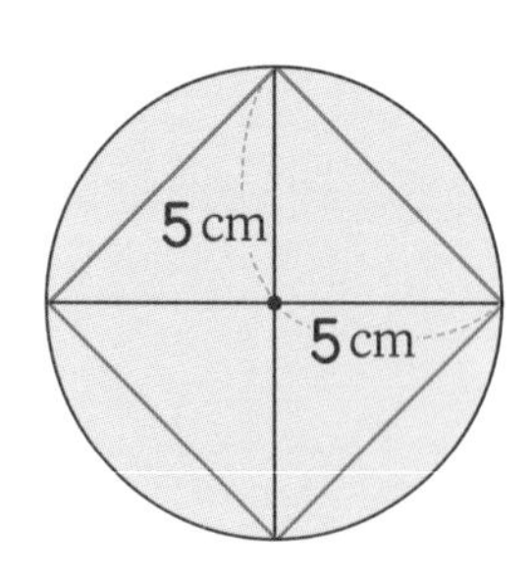

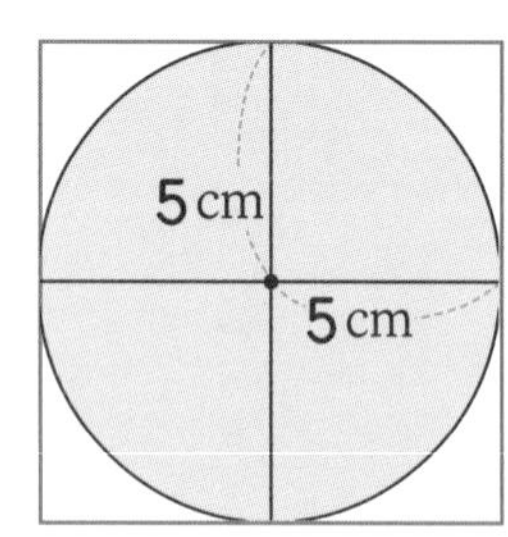

원 안의 정사각형의 넓이: ☐ cm^2

원 밖의 정사각형의 넓이: ☐ cm^2

☐ cm^2 < (원의 넓이) < ☐ cm^2

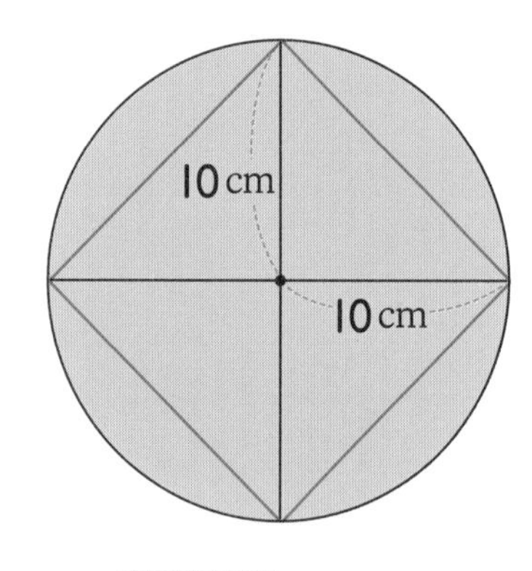

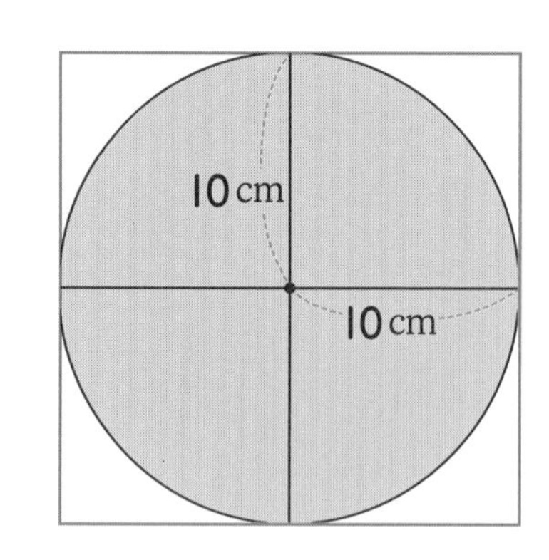

☐ cm^2 < (원의 넓이) < ☐ cm^2

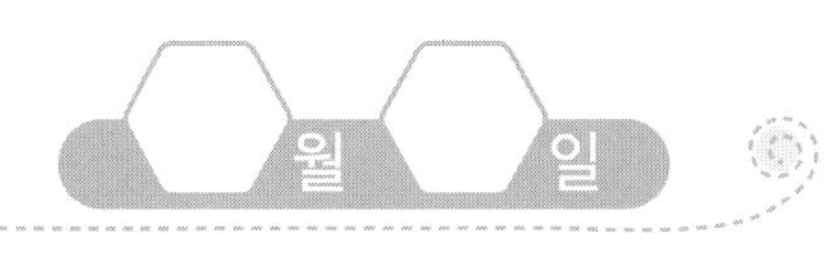

11 모눈을 세어 원의 넓이를 어림하려고 합니다. 빈칸에 알맞은 수를 써넣으세요.

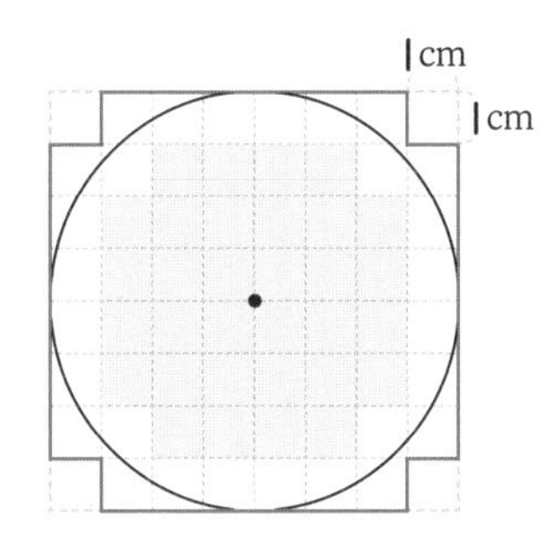

노란색으로 색칠된 모눈의 넓이: ☐ cm^2

빨간색 선으로 둘러싸인 모눈의 넓이: ☐ cm^2

☐ cm^2 < (원의 넓이) < ☐ cm^2

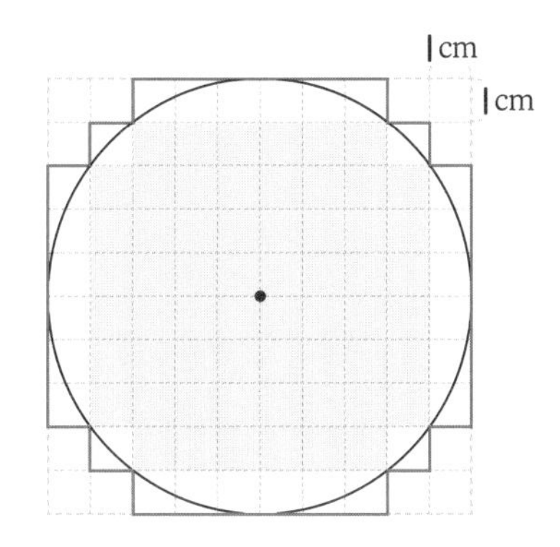

노란색으로 색칠된 모눈의 넓이: ☐ cm^2

빨간색 선으로 둘러싸인 모눈의 넓이: ☐ cm^2

☐ cm^2 < (원의 넓이) < ☐ cm^2

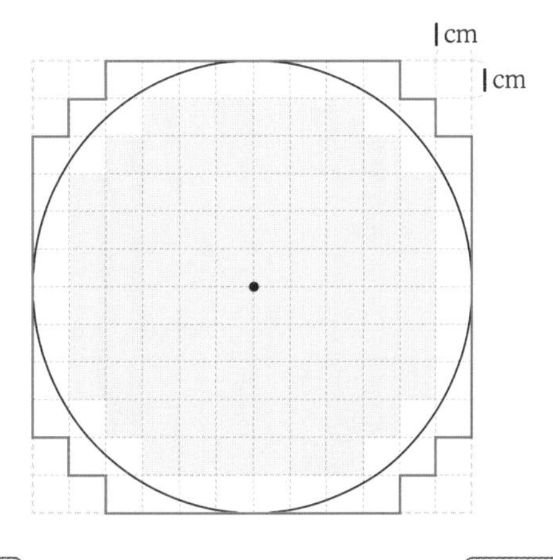

☐ cm^2 < (원의 넓이) < ☐ cm^2

47일 원의 넓이 (1)

11 원의 넓이를 구해 보세요. (원주율: 3.14)

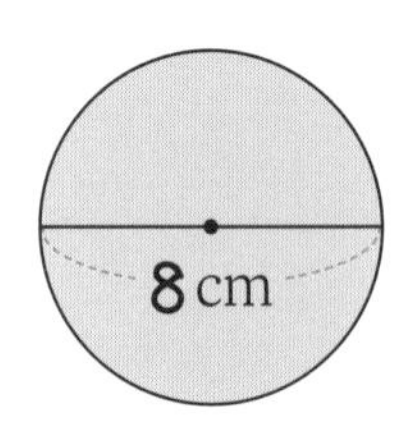

식 $3 \times \square \times \square = \square$

답 ________ cm^2

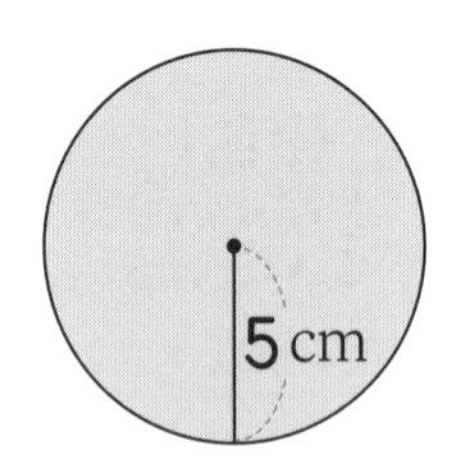

식 $\square \times \square \times 3.14 = \square$

답 ________ cm^2

5 cm

식 ________________

답 ________ cm^2

원의 넓이

원을 한없이 잘라서 이어 붙이면 **직사각형**에 가까워집니다.

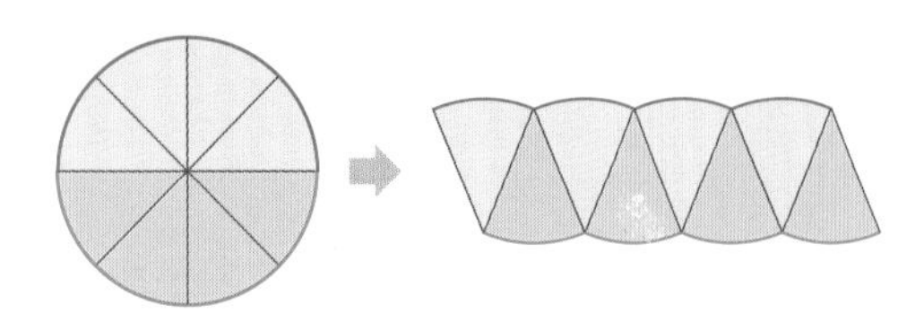

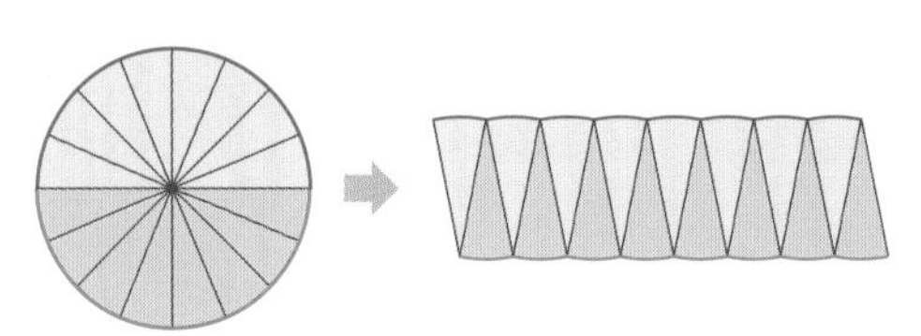

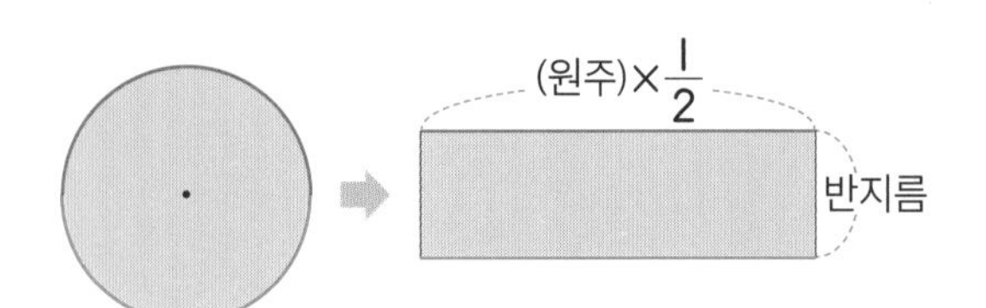

(원의 넓이)

$= (\text{원주}) \times \frac{1}{2} \times (\text{반지름})$

$= (\text{원주율}) \times (\text{지름}) \times \frac{1}{2} \times (\text{반지름})$

$= (\text{반지름}) \times (\text{반지름}) \times (\text{원주율})$

물음에 답하세요.

컴퍼스를 7 cm만큼 벌려서 원을 그렸습니다. 그린 원의 넓이는 몇 cm^2일까요? (원주율: 3.1)

( )cm^2

원 모양의 표지판이 있습니다. 표지판의 지름이 80 cm일 때 표지판의 넓이는 몇 cm^2일까요? (원주율: 3)

( )cm^2

반지름이 10 cm인 원은 지름이 10 cm인 원보다 몇 cm^2 더 넓을까요? (원주율: 3)

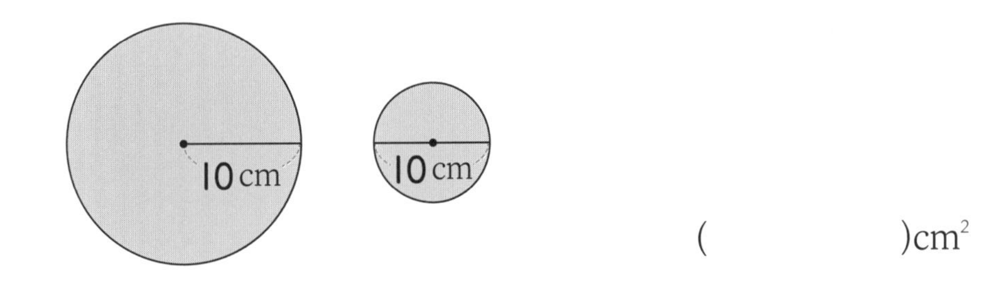

( )cm^2

48일 원의 넓이 (2)

물음에 답하세요.

주어진 직사각형 모양의 종이에 그릴 수 있는 가장 큰 원의 넓이는 몇 cm^2일까요? (원주율: 3)

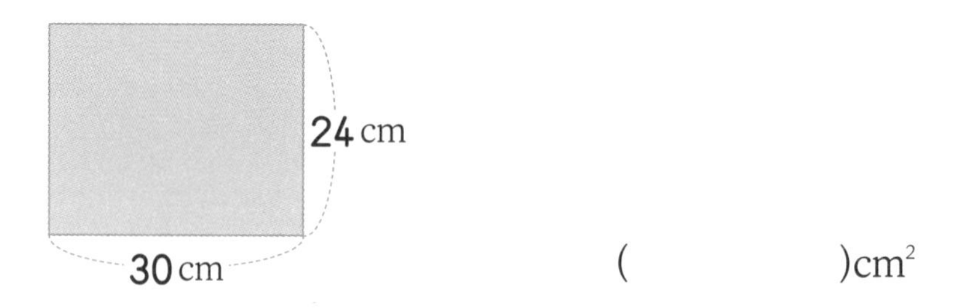

( )cm^2

원주가 62 cm인 원 모양의 접시가 있습니다. 접시의 넓이는 몇 cm^2일까요? (원주율: 3.1)

반지름을 구합니다.

( )cm^2

넓이가 314 cm^2인 원이 있습니다. 이 원의 지름은 몇 cm^2일까요? (원주율: 3.14)

( )cm^2

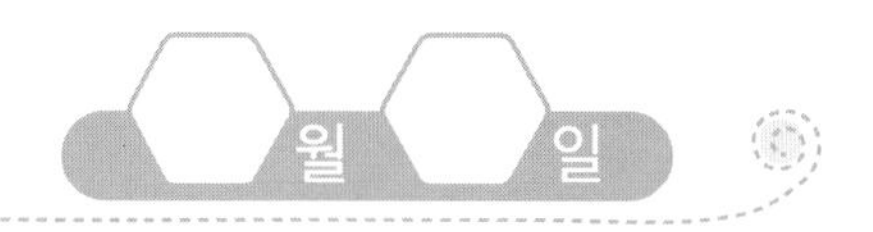

물음에 답하세요.

직사각형과 원의 넓이가 서로 같습니다. 원의 반지름은 몇 cm일까요? (원주율: 3)

(　　　　　)cm

넓이가 가장 넓은 원부터 차례로 기호를 써 보세요. (원주율: 3)

반지름이 길수록 원의 넓이도 넓어집니다.

㉠ 지름이 26 cm인 원
㉡ 반지름이 14 cm인 원
㉢ 넓이가 432 cm^2인 원
㉣ 원주가 90 cm인 원

(　　　　,　　　　,　　　　,　　　　)

49일 반지름과 원주율

표를 완성하고 빈칸에 알맞은 수를 써넣어 반지름과 원주, 반지름과 넓이의 관계를 알아 보세요. (원주율: 3)

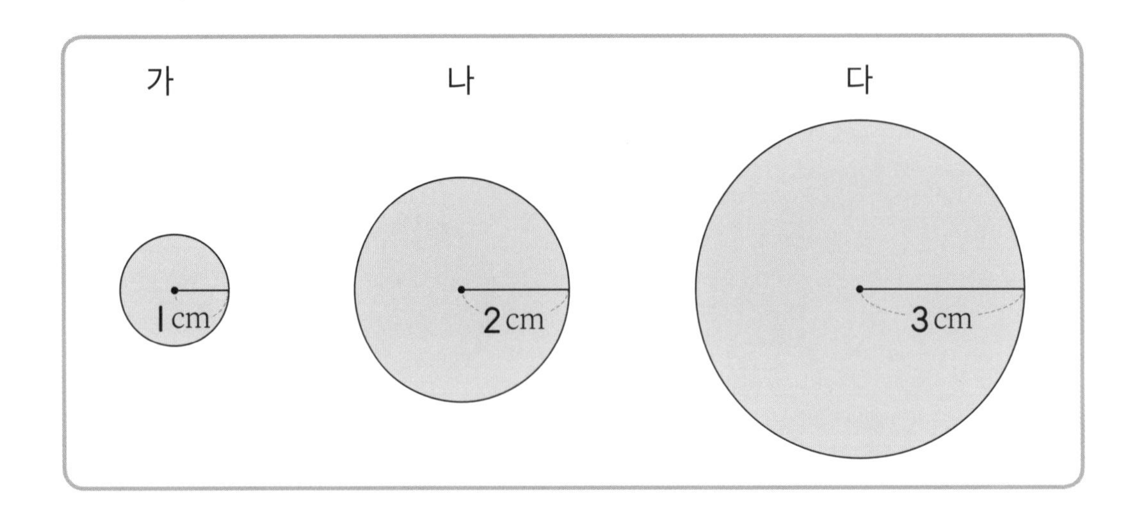

	가	나	다
반지름(cm)	1	2	3
원주(cm)			
넓이(cm^2)			

반지름이 2배 길어지면 원주는 □배 길어집니다.

반지름이 3배 길어지면 원주는 □배 길어집니다.

반지름이 2배 길어지면 넓이는 □배 넓어집니다.

반지름이 3배 길어지면 넓이는 □배 넓어집니다.

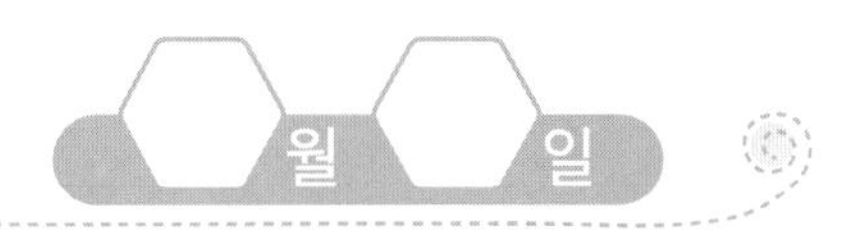

원주율에 따라 원주와 원의 넓이가 각각 얼마나 달라지는지 표를 완성해 보세요.

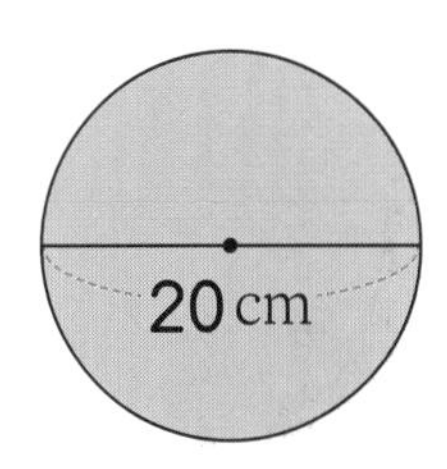

지름(cm)	원주율	원주를 구하는 식	원주(cm)
20	3	20×3=60	60
20	3.1		
20	3.14		

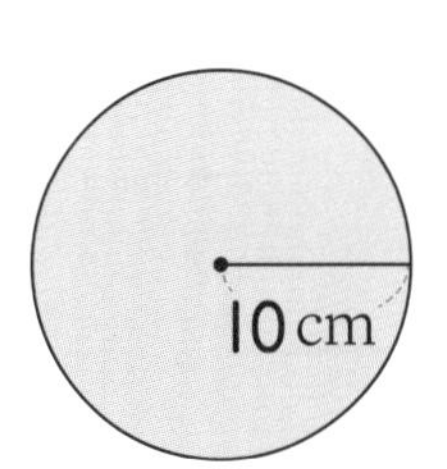

반지름(cm)	원주율	원의 넓이를 구하는 식	원의 넓이(cm^2)
10	3		
10	3.1		
10	3.14		

여러 가지 원의 넓이

색칠한 도형의 둘레와 넓이를 각각 구해 보세요. (원주율: 3)

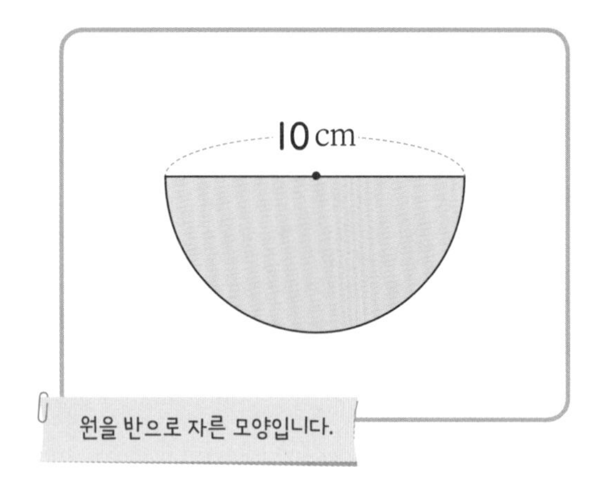

둘레 (　　　　　　　　)cm

넓이 (　　　　　　　　)cm^2

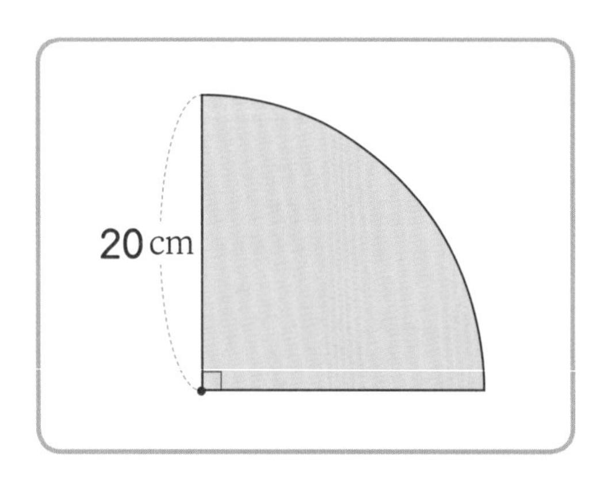

둘레 (　　　　　　　　)cm

넓이 (　　　　　　　　)cm^2

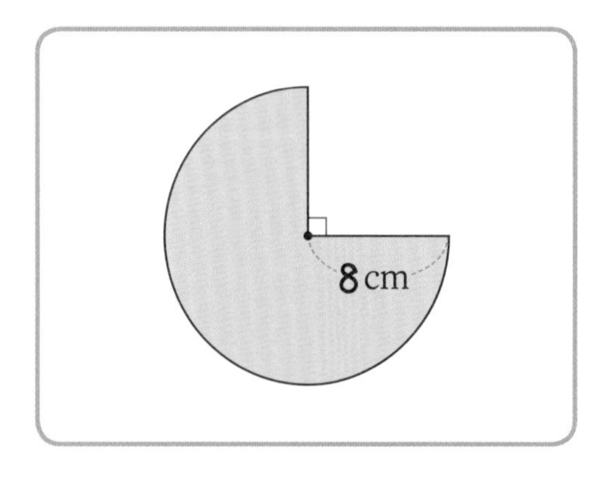

둘레 (　　　　　　　　)cm

넓이 (　　　　　　　　)cm^2

11 색칠한 도형의 둘레와 넓이를 각각 구해 보세요. (원주율: 3.14)

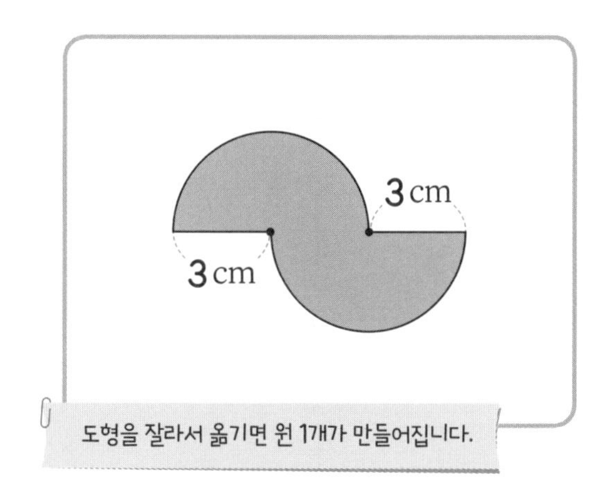

둘레 (　　　　　　　　)cm

넓이 (　　　　　　　　)cm^2

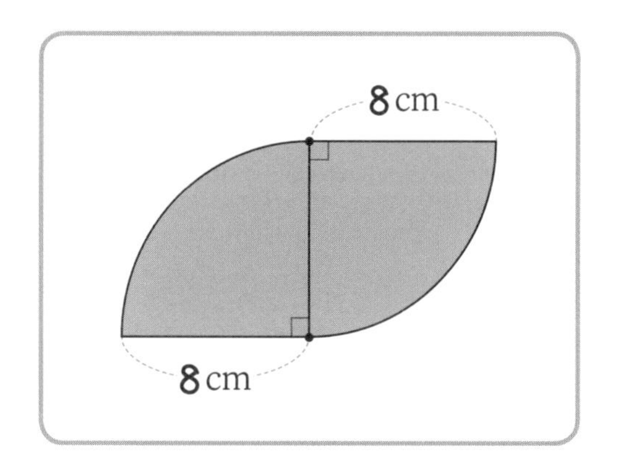

둘레 (　　　　　　　　)cm

넓이 (　　　　　　　　)cm^2

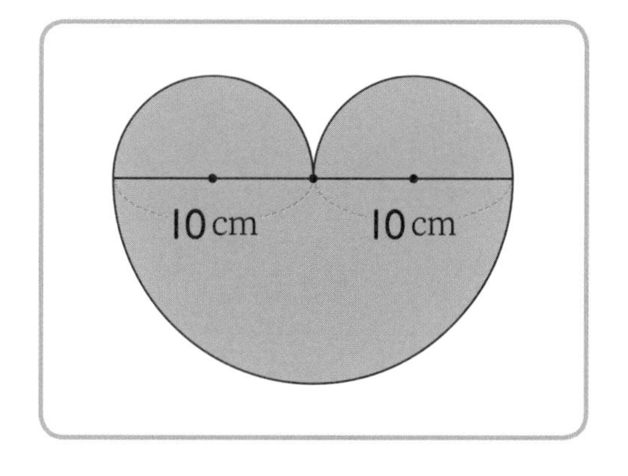

둘레 (　　　　　　　　)cm

넓이 (　　　　　　　　)cm^2

원 모양의 색종이로 과녁을 만들었습니다. 물음에 답하세요. (원주율: 3)

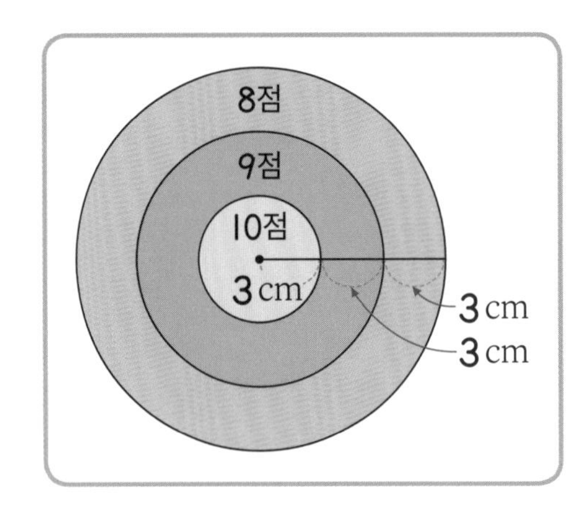

10점을 얻을 수 있는 부분의 넓이는 몇 cm^2인가요? ( ) cm^2

9점을 얻을 수 있는 부분의 넓이는 몇 cm^2인가요? ( ) cm^2

8점을 얻을 수 있는 부분의 넓이는 몇 cm^2인가요? ( ) cm^2

3주차
51~55일

원기둥, 원뿔, 구

51일 원기둥

1 원기둥을 찾아 모두 ○표 하세요.

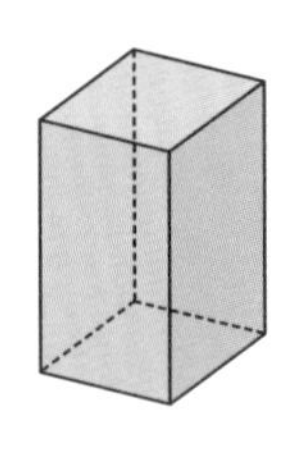

(　　　)

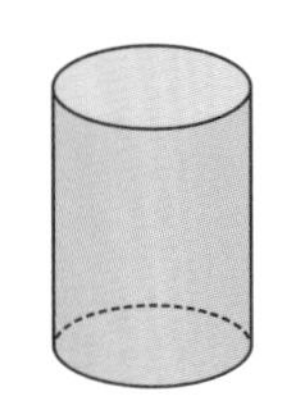

(　　　)

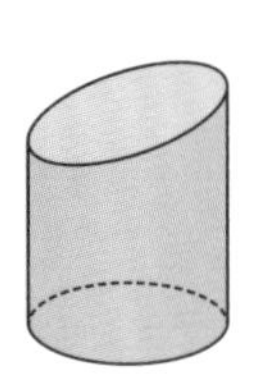

(　　　)

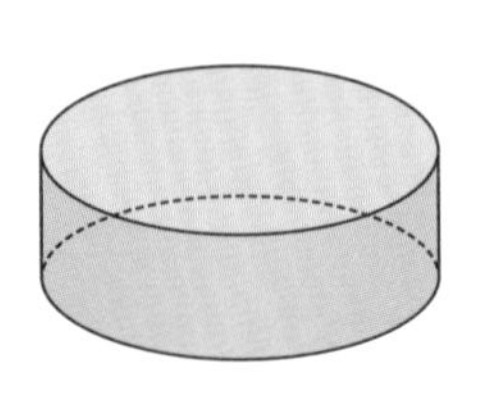

(　　　)

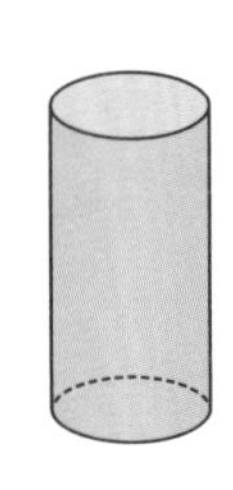

(　　　)

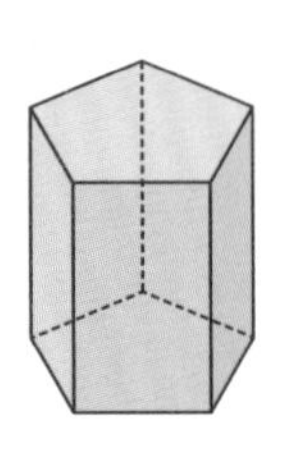

(　　　)

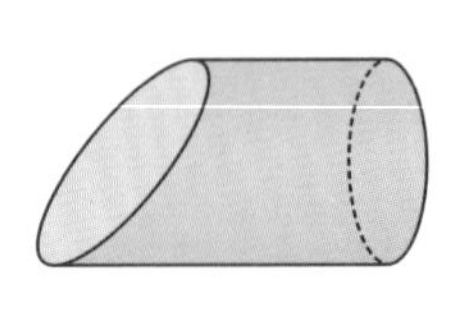

(　　　)

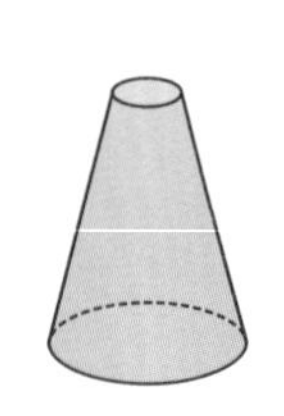

(　　　)

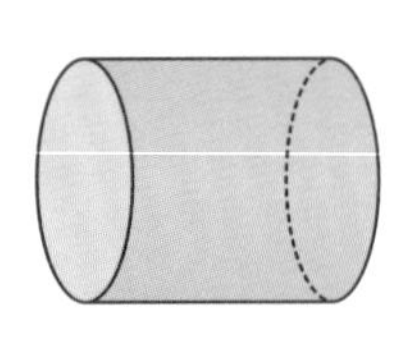

(　　　)

원기둥

다음과 같은 입체도형을 원기둥이라고 합니다. **직사각형** 모양의 종이를 한 변을 기준으로 돌리면 원기둥을 만들 수 있습니다.

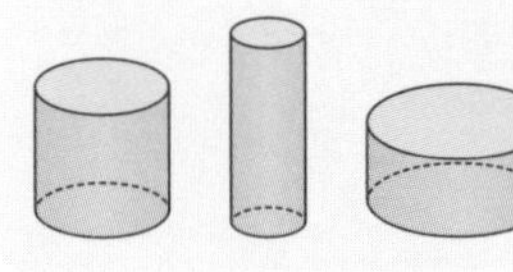

① 옆을 둘러싼 면은 굽은 면입니다.
② 평평한 두 면은 **원**입니다.
③ 평평한 두 면은 서로 **평행**하고 **합동**입니다.

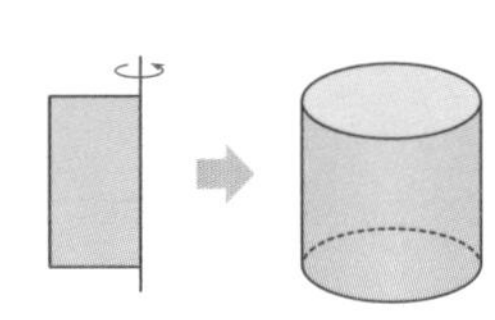

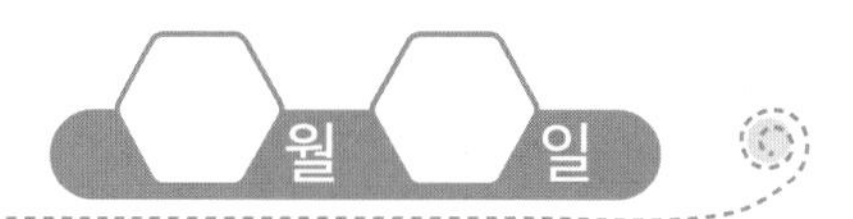

11 원기둥의 밑면의 지름과 높이를 각각 구해 보세요.

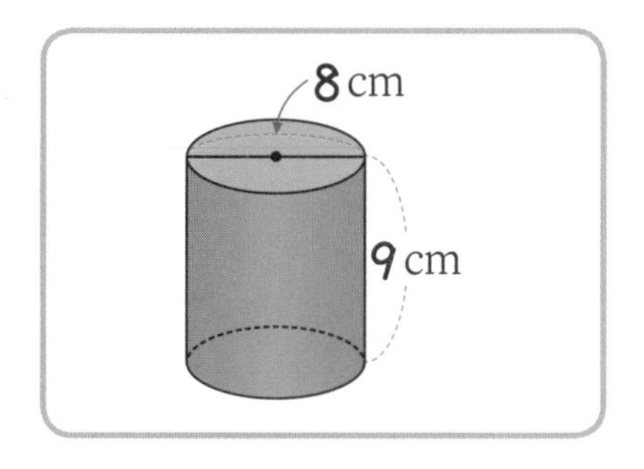

밑면의 지름: ☐ cm

높이: ☐ cm

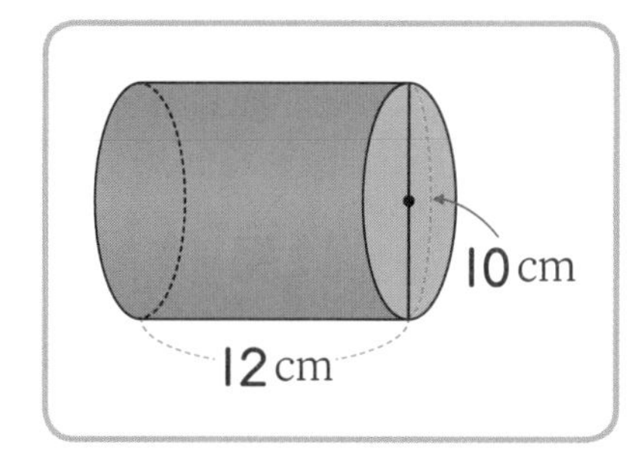

밑면의 지름: ☐ cm

높이: ☐ cm

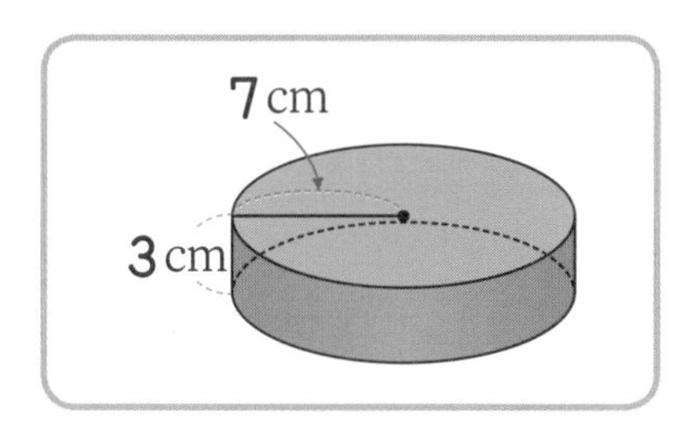

밑면의 지름: ☐ cm

높이: ☐ cm

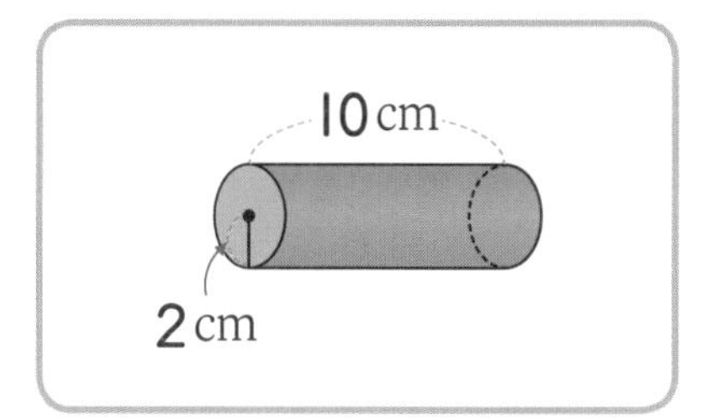

밑면의 지름: ☐ cm

높이: ☐ cm

원기둥의 구성 요소

원기둥에서 서로 평행하고 합동인 두 면을 밑면이라 하고, 두 밑면과 만나는 면을 옆면이라고 합니다. 또, 두 밑면에 수직인 선분의 길이를 높이라고 합니다.

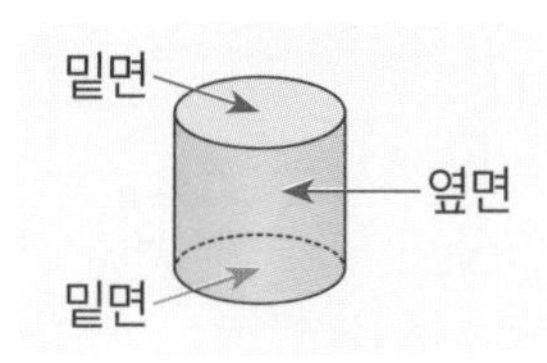

원기둥의 옆면은 굽은 면입니다.

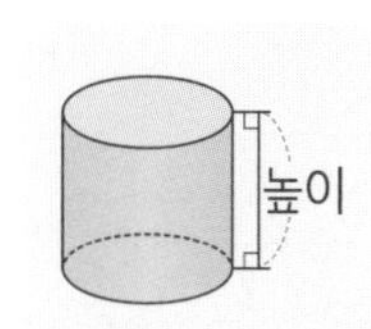

52일 원뿔

1 원뿔을 찾아 모두 ◯표 하세요.

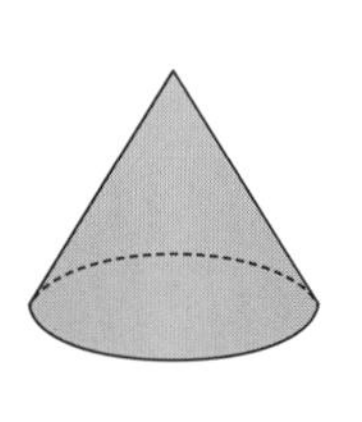

(   )

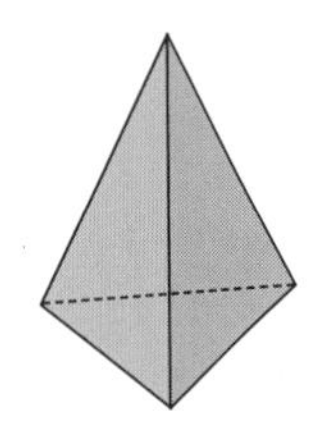

(   )

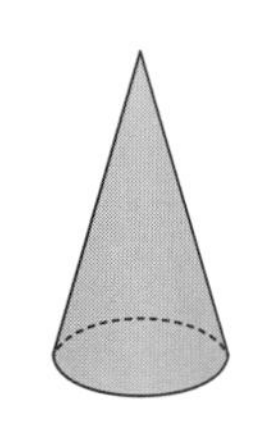

(   )

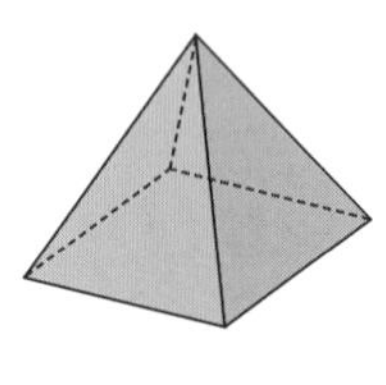

(   )

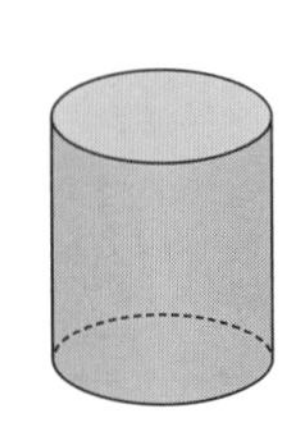

(   )

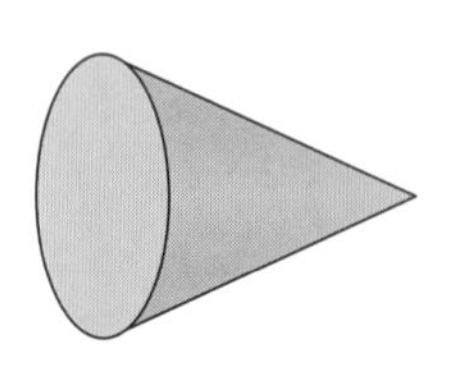

(   )

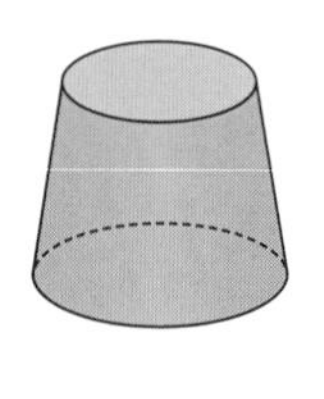

(   )

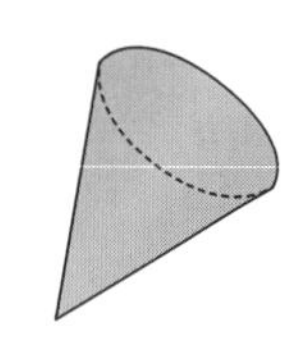

(   )

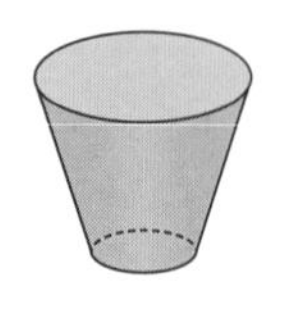

(   )

원뿔

다음과 같은 입체도형을 원뿔이라고 합니다. **직각삼각형** 모양의 종이를 가장 긴 변을 제외한 한 변을 기준으로 돌리면 원뿔을 만들 수 있습니다.

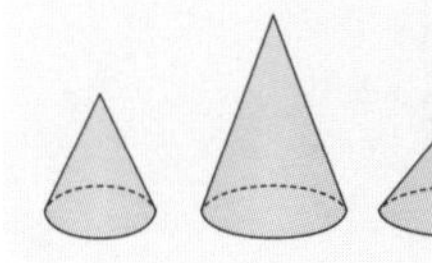

① 옆을 둘러싼 면은 굽은 면입니다.

② 평평한 면은 **원**이고, 1개입니다.

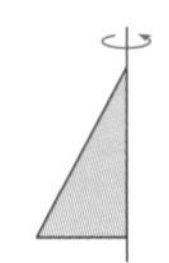

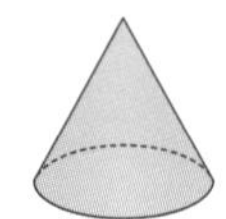

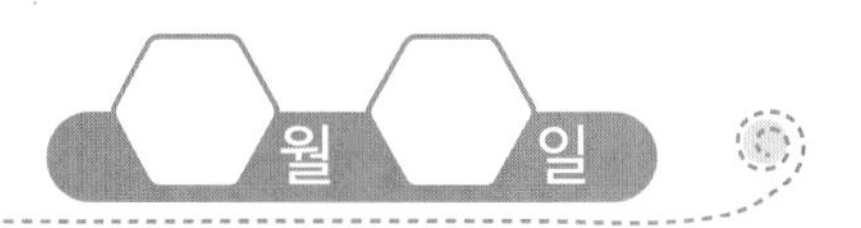

11 원뿔의 밑면의 지름과 높이, 모선의 길이를 각각 구해 보세요.

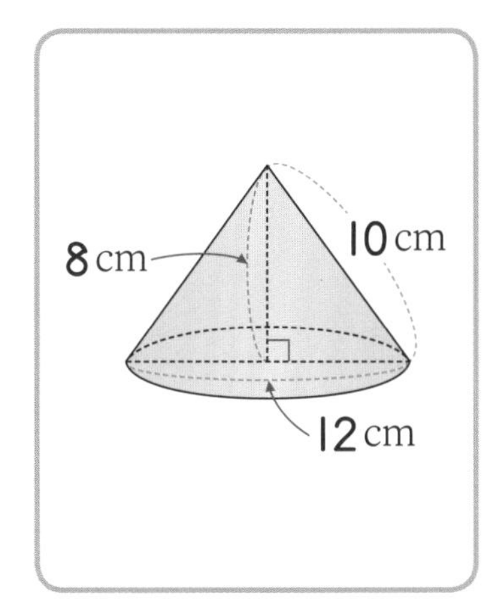

13 cm
12 cm
5 cm

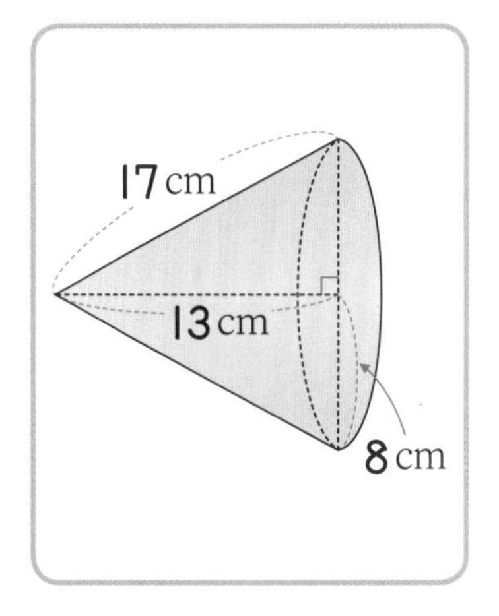

밑면의 지름: □ cm
높이: □ cm
모선의 길이: □ cm

밑면의 지름: □ cm
높이: □ cm
모선의 길이: □ cm

밑면의 지름: □ cm
높이: □ cm
모선의 길이: □ cm

원뿔의 구성 요소

원뿔에서 평평한 면을 밑면, 옆을 둘러싼 굽은 면을 옆면, 뾰족한 부분의 점을 원뿔의 꼭짓점이라고 합니다. 원뿔의 꼭짓점에서 밑면에 수직인 선분의 길이를 높이라고 하고, 원뿔의 꼭짓점과 밑면(원) 둘레의 한 점을 이은 선분을 모선이라고 합니다.

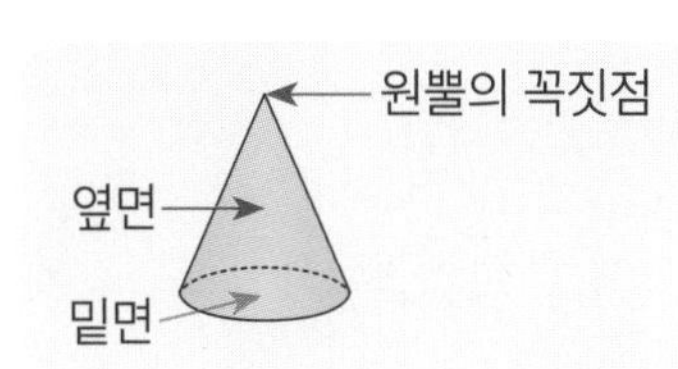

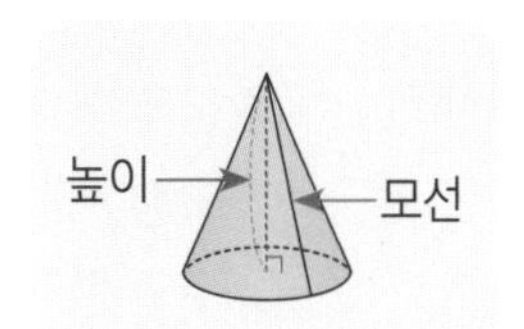

구

① 구의 반지름을 구해 보세요.

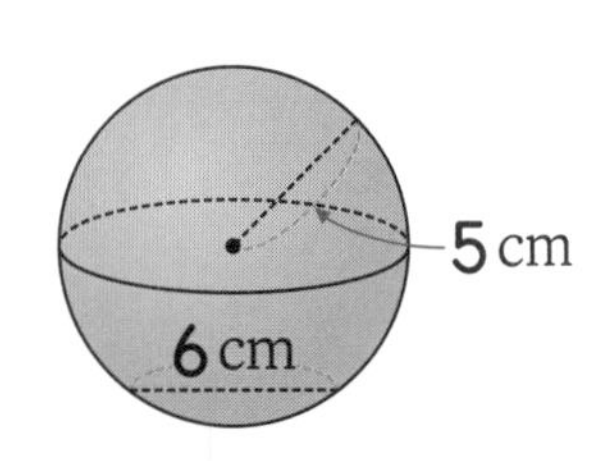

구의 반지름: ☐ cm

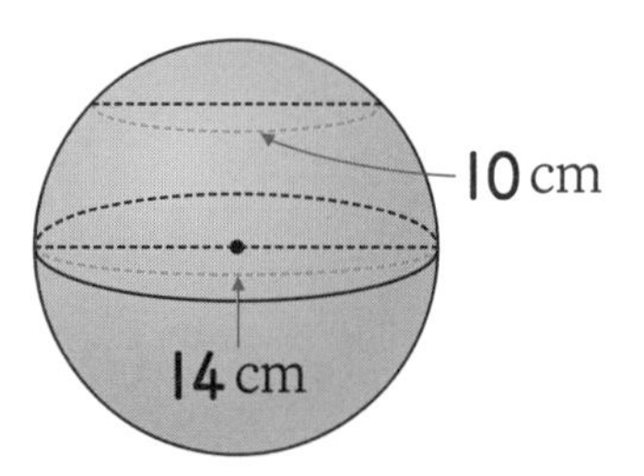

구의 반지름: ☐ cm

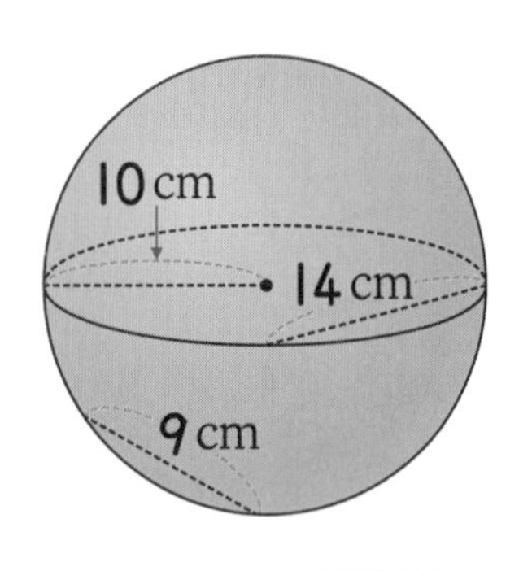

구의 반지름: ☐ cm

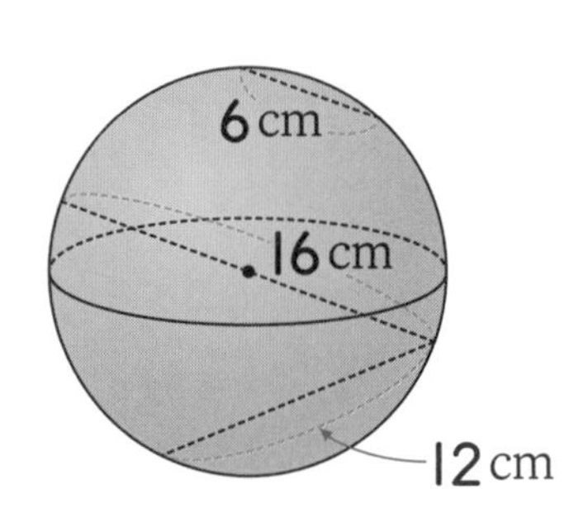

구의 반지름: ☐ cm

구

공 모양의 입체도형을 구라고 합니다. **반원** 모양의 종이를 지름을 기준으로 돌리면 구를 만들 수 있습니다. 구에서 가장 안쪽에 있는 점을 구의 중심이라고 하고, 구의 중심에서 구의 겉면의 한 점을 이은 선분을 구의 반지름이라고 합니다.

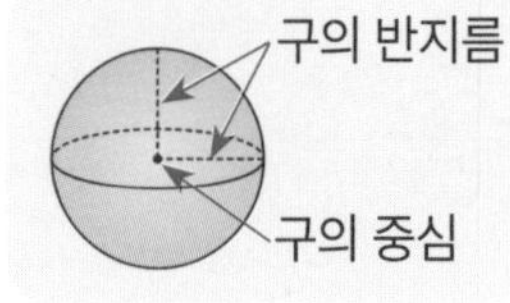

① 굽은 면으로 둘러싸여 있습니다.
② 평평한 면은 없습니다.
③ 구의 반지름은 모두 같고, 무수히 많습니다.

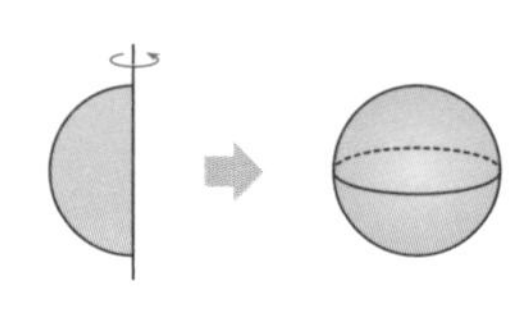

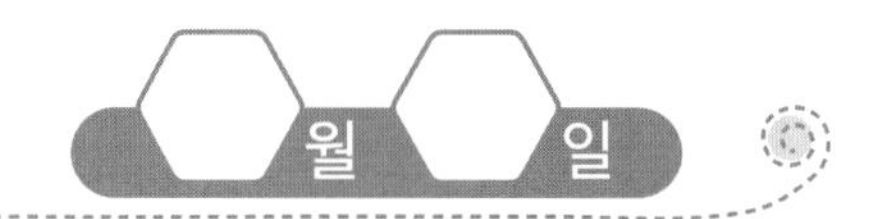

원기둥, 원뿔, 구를 위, 앞, 옆에서 본 모양을 찾아 이어 보세요.

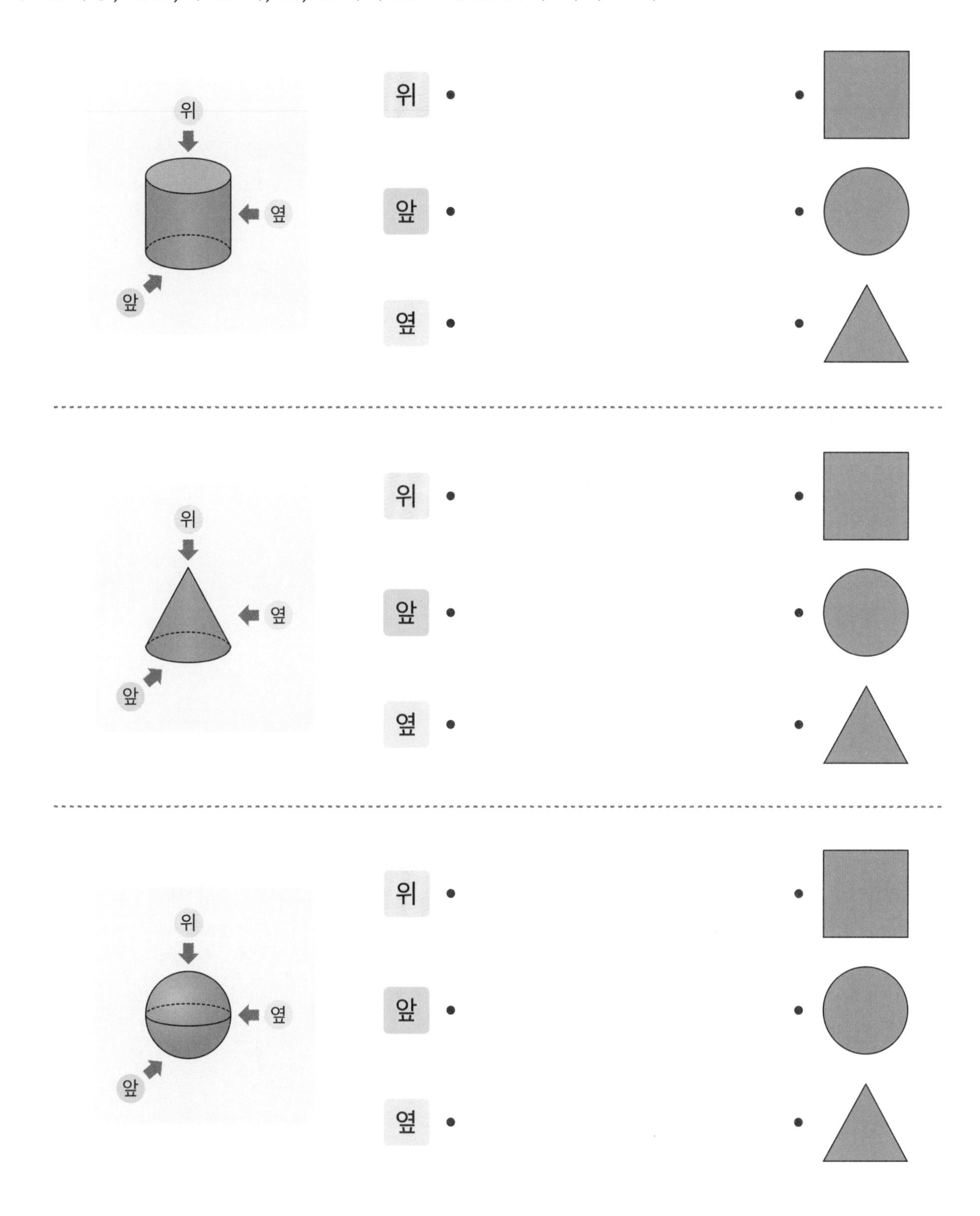

54일 돌려서 만든 입체도형

한 변 또는 지름을 기준으로 종이를 돌려 만든 입체도형의 이름을 쓰고, 빈칸에 알맞은 수를 써넣으세요.

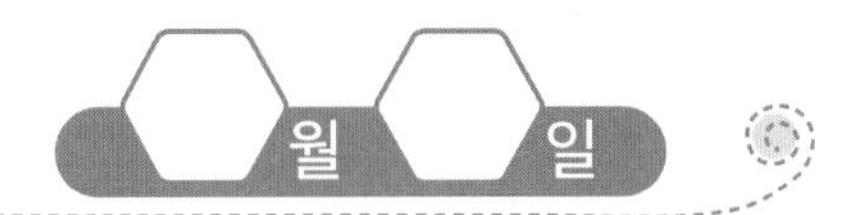

물음에 답하세요.

직사각형 모양의 종이를 돌려 입체도형을 만듭니다. 만든 입체도형의 높이의 차는 몇 cm일까요?

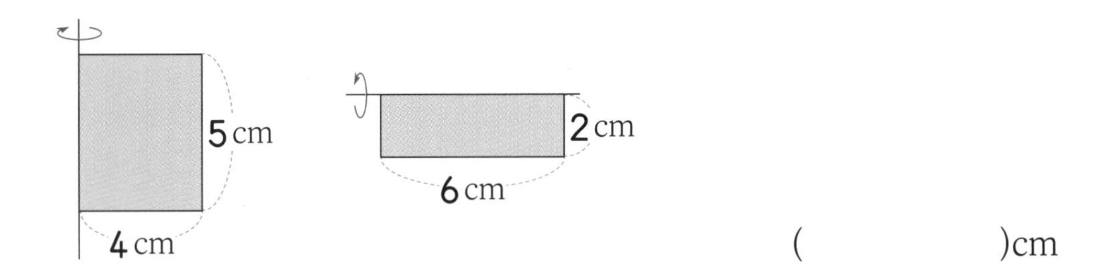

(　　　　　)cm

직각삼각형 모양의 종이를 서로 다른 변을 기준으로 돌려 입체도형을 만듭니다. 만든 입체도형의 밑면의 지름의 차는 몇 cm일까요?

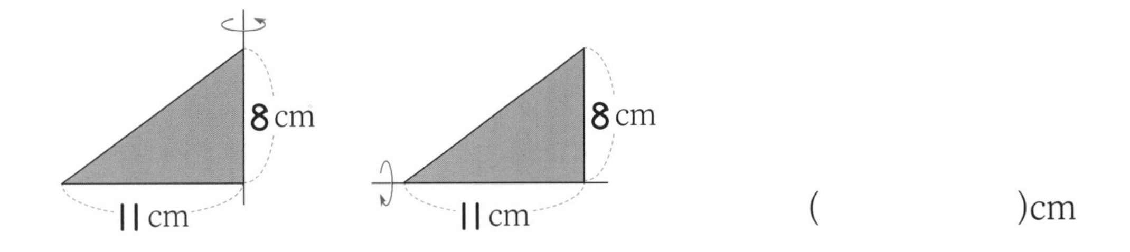

(　　　　　)cm

원기둥을 위에서 보면 반지름이 6 cm인 원이고, 앞에서 보면 정사각형 모양입니다. 이 원기둥의 높이는 몇 cm일까요?

(　　　　　)cm

55일 도형 설명하기

1 원기둥, 원뿔, 구에 대하여 바르게 설명한 것에 ○표, 잘못 설명한 것에 ×표 하세요.

원기둥의 두 밑면은 서로 합동입니다. ( )

원뿔의 꼭짓점에서 밑면에 수직인 선분은 모선입니다. ( )

구는 보는 방향에 따라 모양이 다릅니다. ( )

원뿔의 꼭짓점은 1개입니다. ( )

원뿔의 모선은 1개입니다. ( )

원뿔의 모선의 길이는 높이보다 더 깁니다. ( )

구의 반지름은 무수히 많습니다. ( )

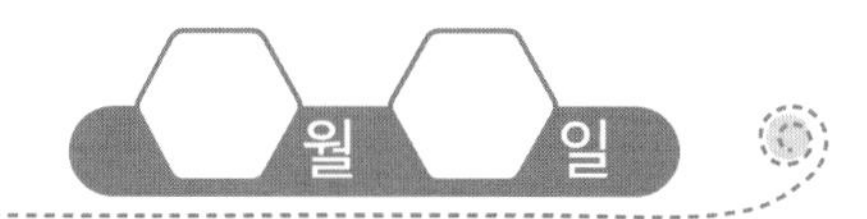

11 두 입체도형의 공통점으로 알맞은 것을 모두 찾아 기호를 써 보세요.

원기둥과 원뿔

㉠ 밑면의 모양이 원입니다.
㉡ 밑면의 수가 같습니다.
㉢ 옆면은 굽은 면입니다.
㉣ 앞에서 본 모양이 같습니다.

(　　　　　　　　)

원뿔과 구

㉠ 뾰족한 부분이 있습니다.
㉡ 굽은 면이 있습니다.
㉢ 꼭짓점이 있습니다.
㉣ 위에서 본 모양이 같습니다.

(　　　　　　　　)

원기둥과 구

㉠ 평평한 면이 있습니다.
㉡ 옆에서 본 모양이 같습니다.
㉢ 위에서 본 모양이 같습니다.
㉣ 뾰족한 부분이 없습니다.

(　　　　　　　　)

원기둥과 각기둥, 원뿔과 각뿔에 대한 설명으로 잘못 설명한 것의 기호를 쓰고, 그 이유를 써 보세요.

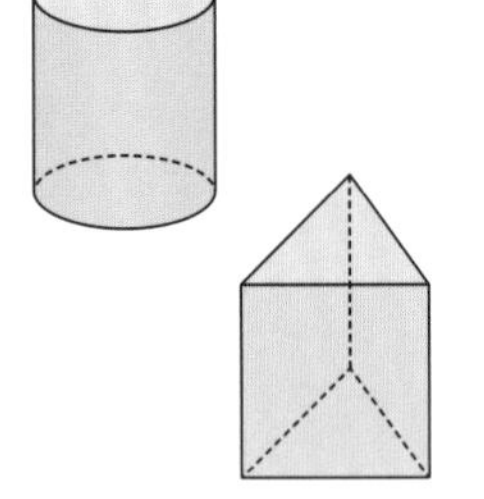

㉠ 원기둥과 각기둥은 모두 밑면이 2개입니다.
㉡ 원기둥과 각기둥은 모두 두 밑면이 합동입니다.
㉢ 원기둥은 각기둥이라고 할 수 있습니다.
㉣ 원기둥과 각기둥을 앞에서 본 모양은 모두 직사각형입니다.

잘못 설명한 것 ____________

이유 ____

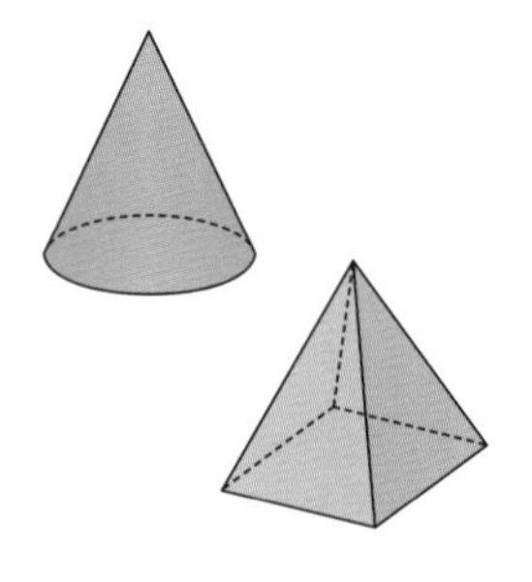

㉠ 원뿔의 밑면은 원이고, 각뿔의 밑면은 다각형입니다.
㉡ 원뿔과 각뿔을 앞에서 본 모양은 모두 삼각형입니다.
㉢ 원뿔은 굽은 면이 있고, 각뿔은 굽은 면이 없습니다.
㉣ 원뿔은 꼭짓점이 없지만 각뿔은 꼭짓점이 있습니다.

잘못 설명한 것 ____________

이유 ____

4주차
56~60일

원기둥의 전개도

56일 올바른 전개도

원기둥을 만들 수 있는 전개도에 모두 ○표 하세요.

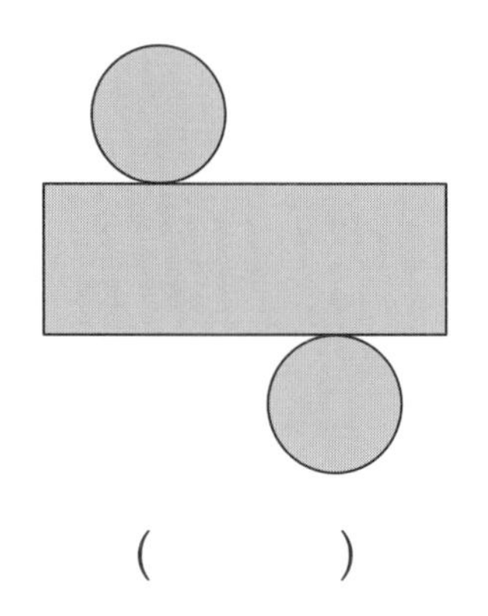

(　　　)

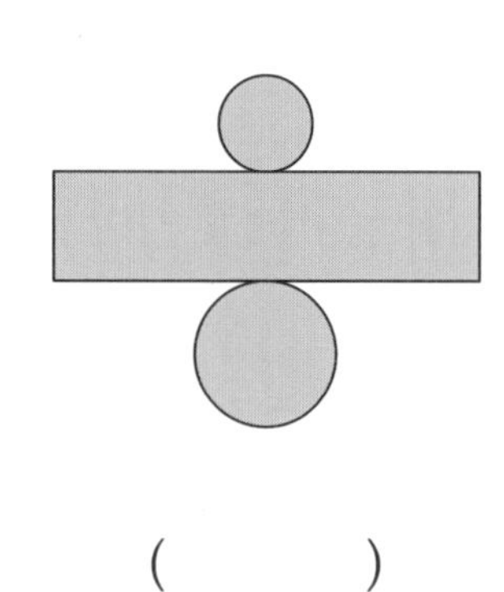

(　　　)

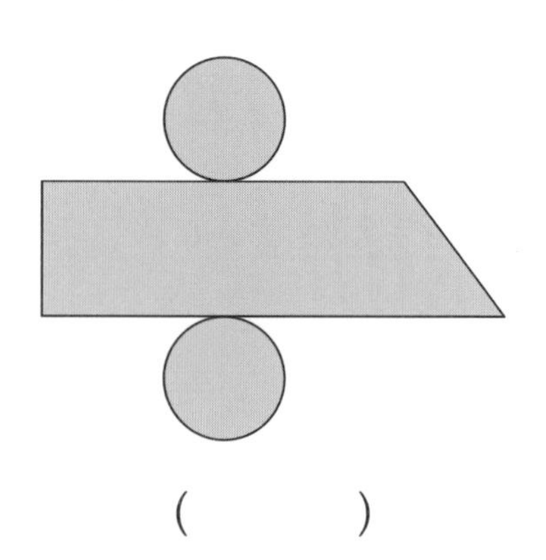

(　　　)

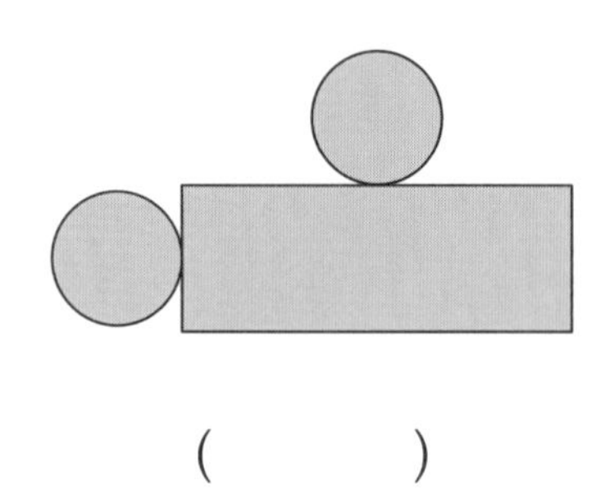

(　　　)

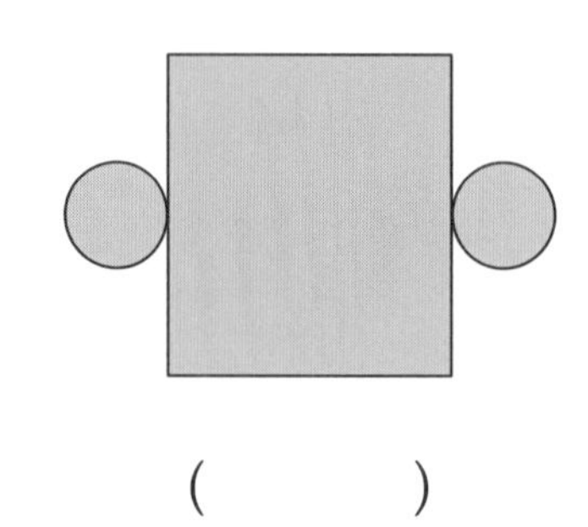

(　　　)

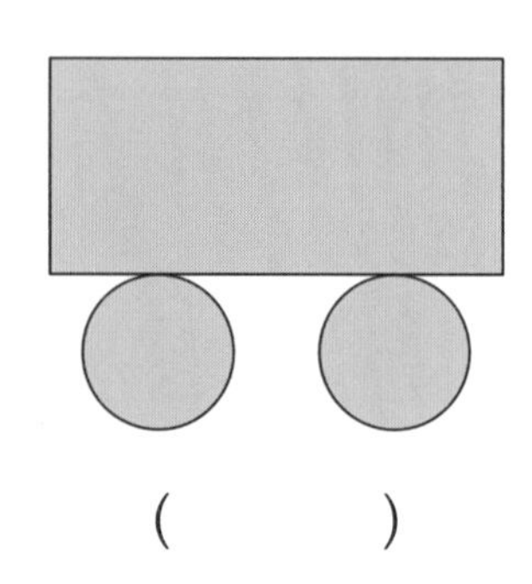

(　　　)

원기둥의 전개도

원기둥을 잘라서 펼쳐 놓은 그림을 원기둥의 전개도라고 합니다.

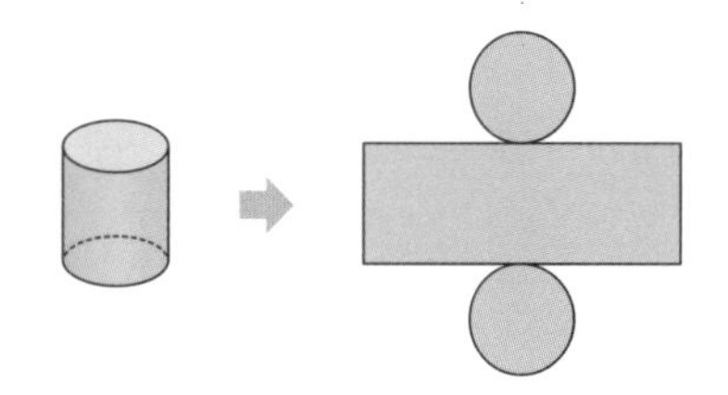

전개도에서 두 밑면은 합동인 원,
옆면은 직사각형 모양입니다.

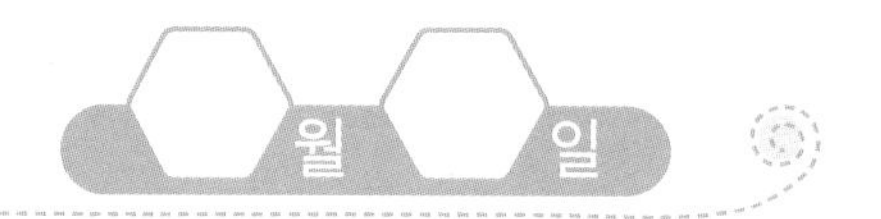

다음 그림은 원기둥의 전개도가 아닙니다. 전개도가 아닌 이유를 써 보세요.

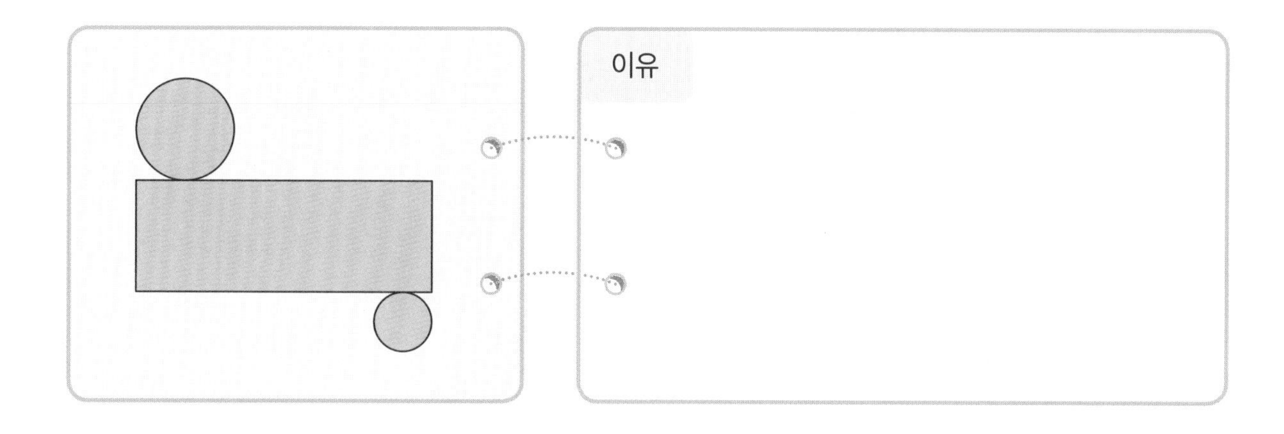

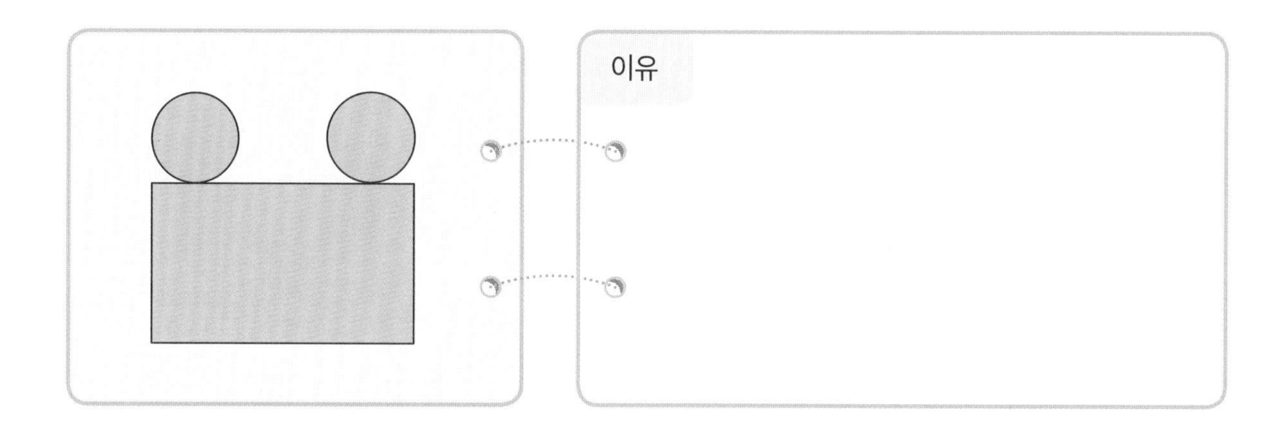

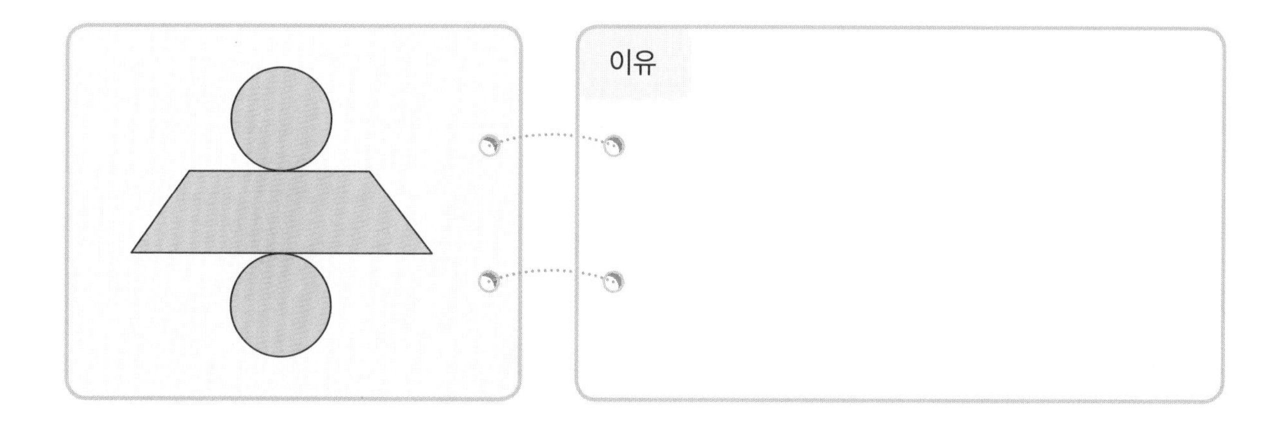

57일 전개도 살펴보기

11 원기둥과 원기둥의 전개도입니다. 물음에 답하세요.

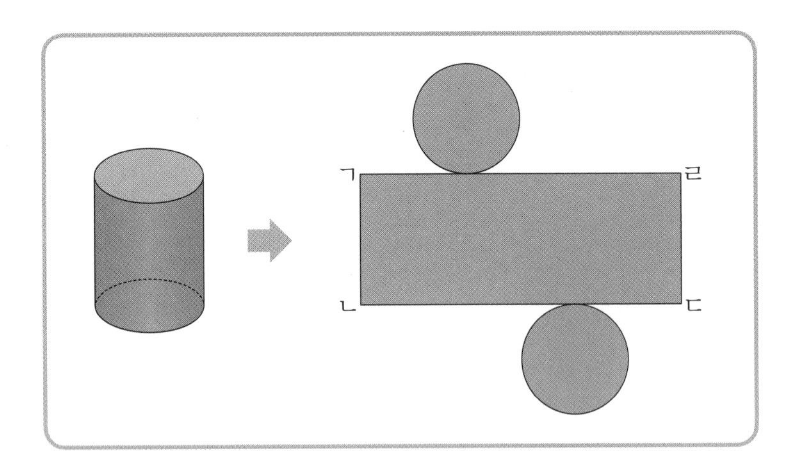

원기둥의 높이와 길이가 같은 선분을 전개도에서 찾아 모두 써 보세요.

( )

원기둥의 한 밑면의 둘레와 길이가 같은 선분을 전개도에서 찾아 모두 써 보세요.

( )

전개도에서 옆면의 가로는 밑면의 반지름의 몇 배일까요? (원주율: 3)

( )배

원기둥과 원기둥의 전개도를 보고 빈칸에 알맞은 수를 써넣으세요. (원주율: 3.1)

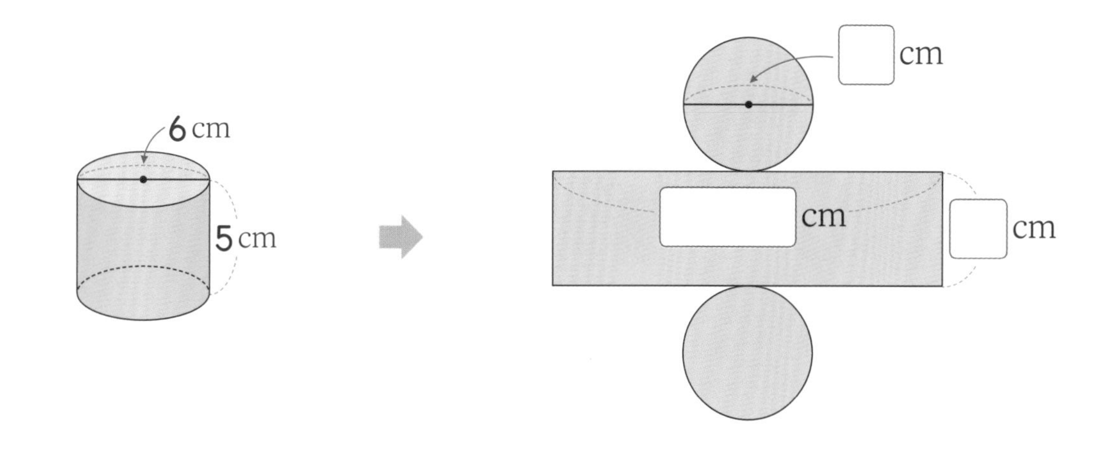

2 cm
7 cm
cm
cm
cm

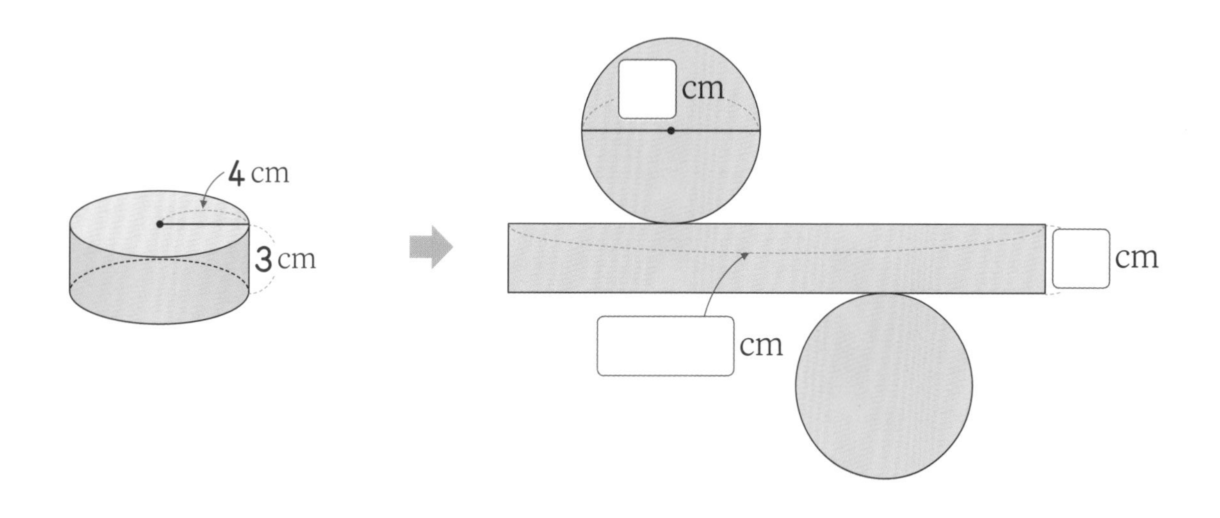

58일 전개도 그리기

1 원기둥의 전개도를 그려 보세요. (원주율: 3)

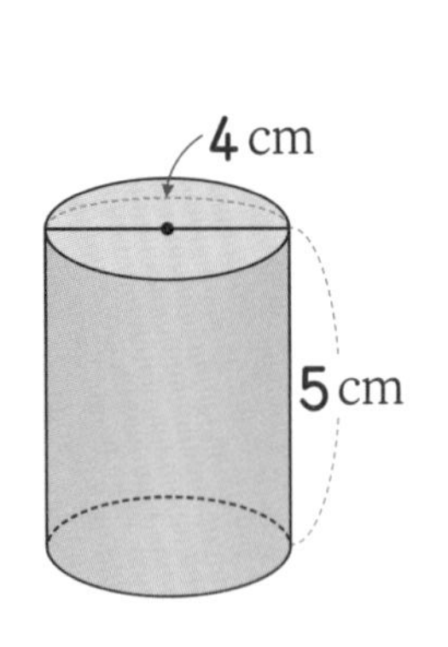

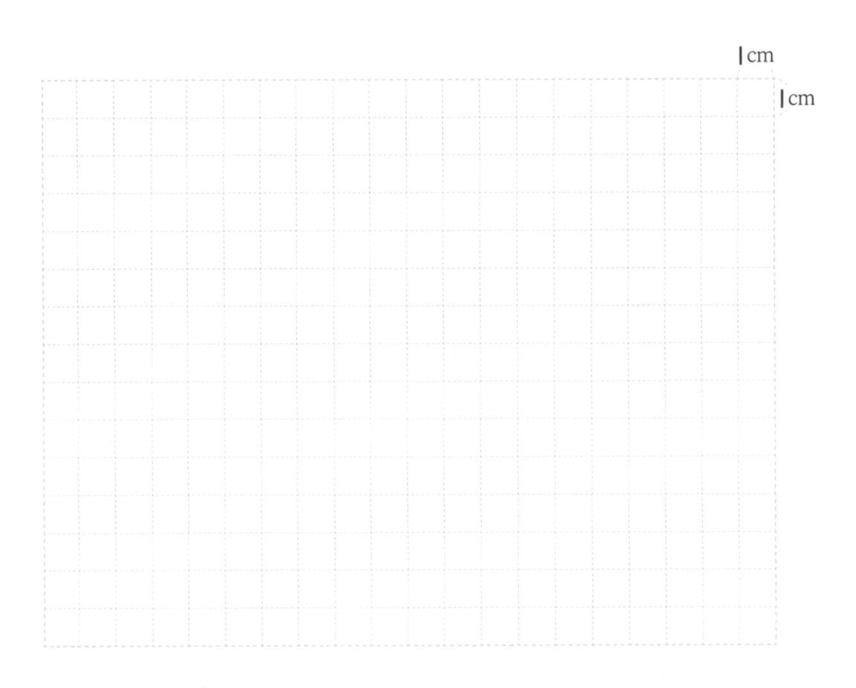

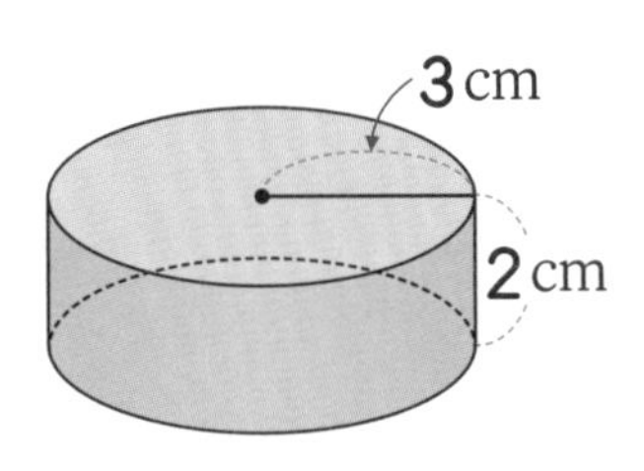

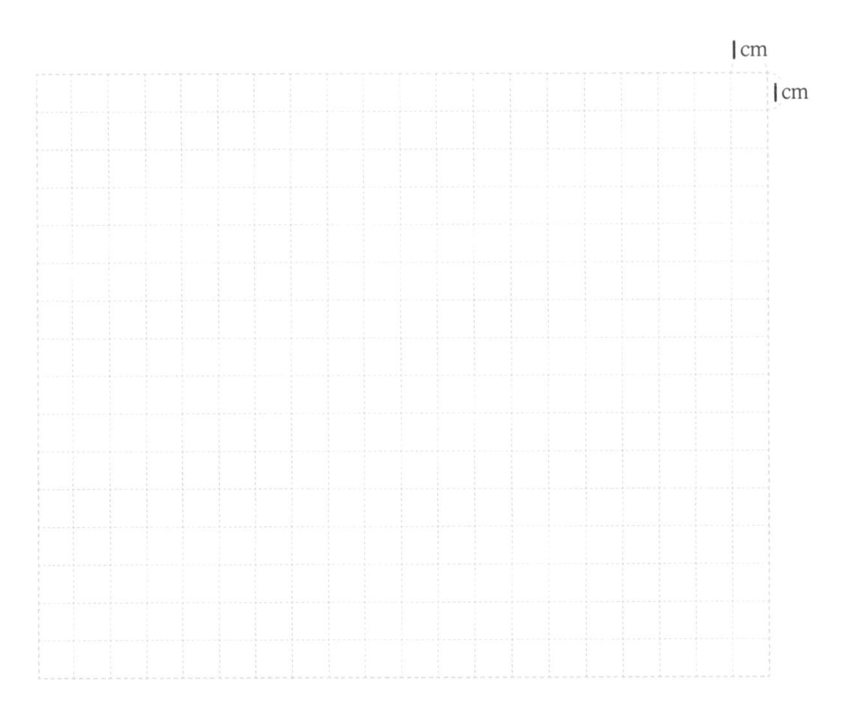

조건에 맞는 원기둥의 전개도를 그려 보세요. (원주율: 3)

- 밑면의 반지름은 2 cm 입니다.
- 옆면의 세로와 밑면의 지름이 같습니다.

- 밑면의 지름은 3 cm입니다.
- 옆면의 모양은 정사각형 입니다.

옆면의 둘레와 넓이

원기둥의 전개도입니다. 전개도에서 옆면의 둘레와 넓이를 각각 구해 보세요. (원주율: 3)

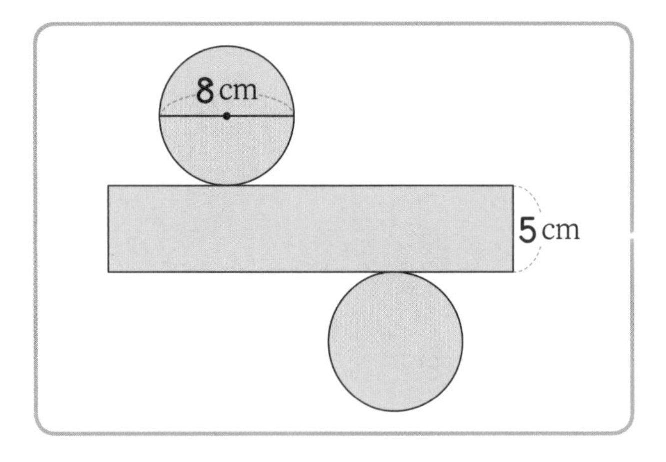

옆면의 둘레 (　　　　　　)cm

옆면의 넓이 (　　　　　　)cm^2

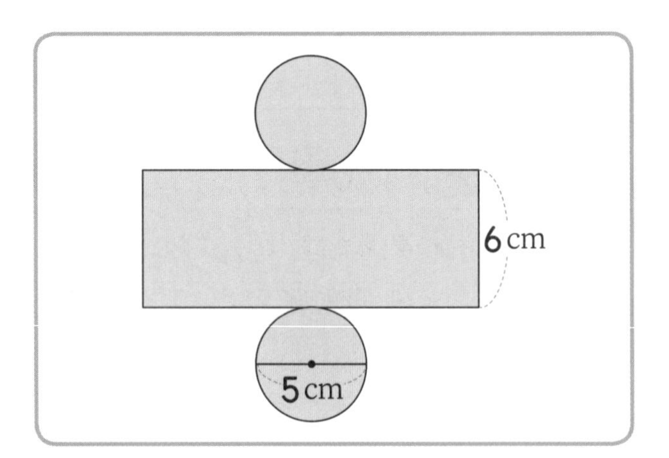

옆면의 둘레 (　　　　　　)cm

옆면의 넓이 (　　　　　　)cm^2

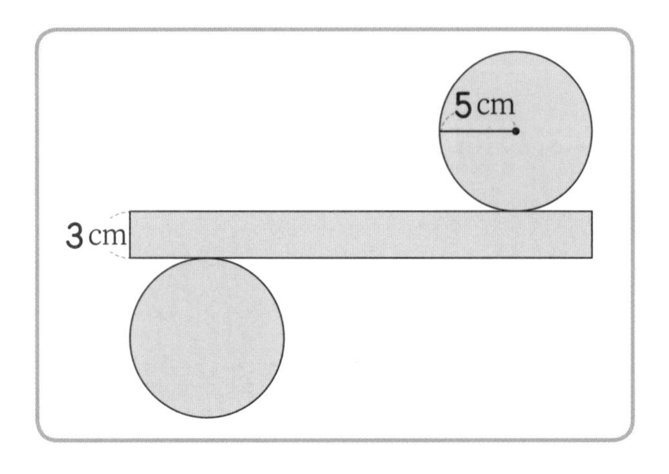

옆면의 둘레 (　　　　　　)cm

옆면의 넓이 (　　　　　　)cm^2

물음에 답하세요.

원기둥의 전개도의 넓이는 몇 cm^2일까요? (원주율: 3)

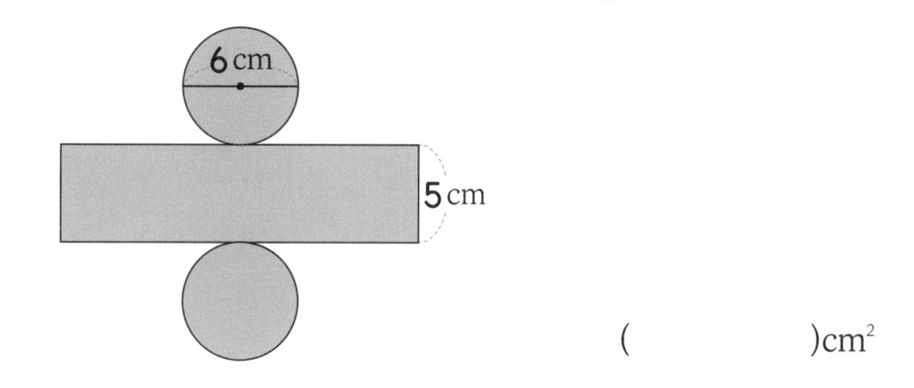

( )cm^2

직사각형 모양의 종이를 돌려 원기둥을 만듭니다. 이 원기둥을 펼친 전개도에서 옆면의 둘레는 몇 cm일까요? (원주율: 3.1)

원기둥의 전개도를 그려 봅니다.

4 cm

6 cm

( )cm

60일 밑면의 지름

원기둥의 전개도입니다. 빈칸에 알맞은 수를 써넣으세요. (원주율: 3)

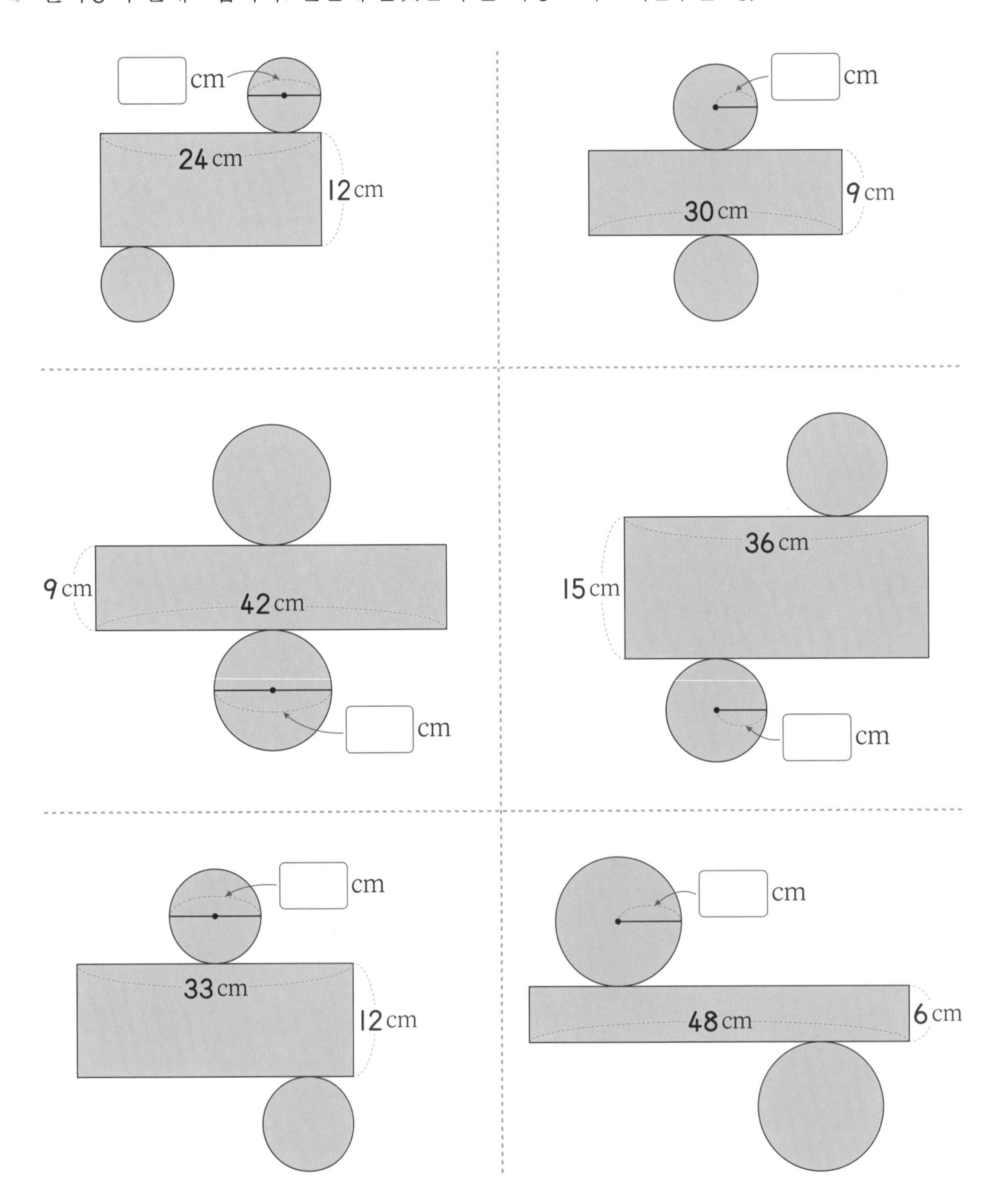

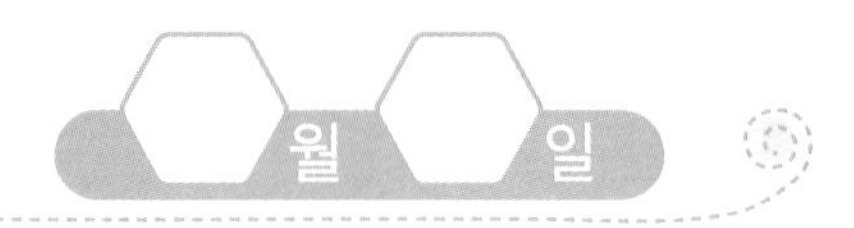

물음에 답하세요.

원기둥의 전개도에서 옆면의 넓이가 124 cm^2입니다. 밑면의 지름은 몇 cm일까요? (원주율: 3.1)

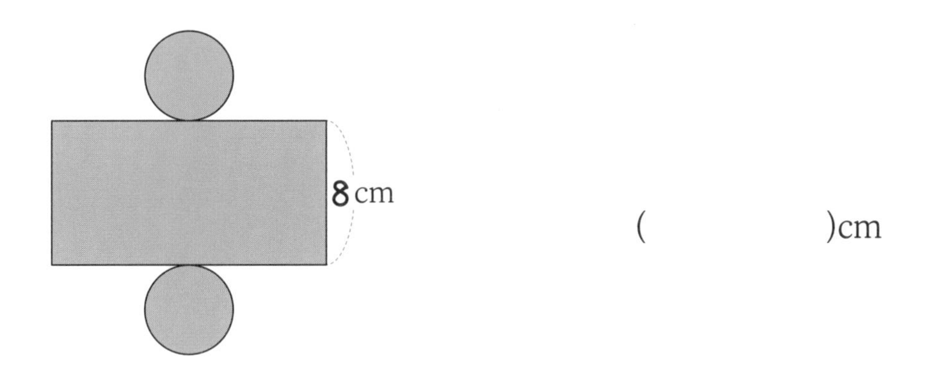

(　　　　　)cm

원기둥의 전개도에서 옆면의 둘레가 59.2 cm입니다. 밑면의 반지름은 몇 cm일까요? (원주율: 3.1)

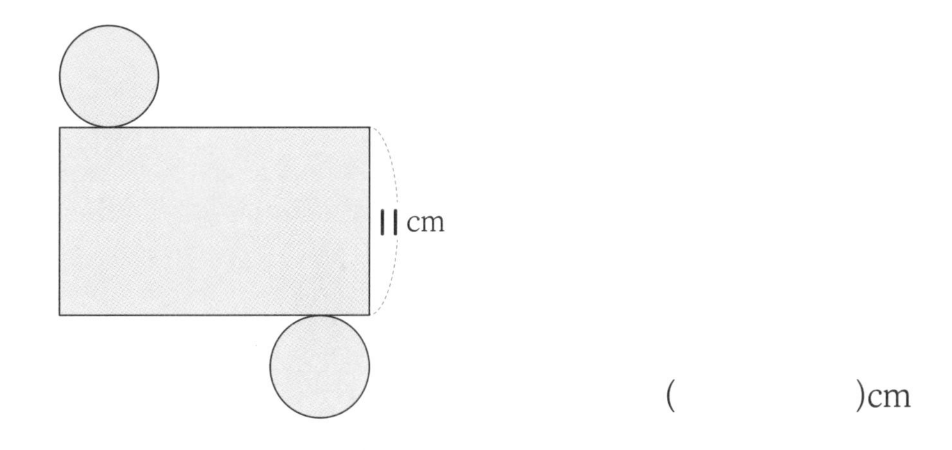

(　　　　　)cm

조건을 만족하는 원기둥의 높이를 구하려고 합니다. 물음에 답하세요. (원주율: 3)

- 원기둥의 밑면의 지름과 높이가 같습니다.
- 원기둥의 전개도에서 옆면의 둘레는 56 cm입니다.

밑면을 지름을 □cm라고 할 때 원기둥의 전개도에서 옆면의 가로를 □를 사용한 식으로 나타내어 보세요.

(옆면의 가로) = ________

원기둥의 높이는 원기둥의 전개도에서 옆면의 세로입니다. 전개도에서 옆면의 둘레는 밑면의 지름의 몇 배인가요?

(   )배

원기둥의 높이는 몇 cm인가요?

(   )cm

도형 플러스+

- 원을 이용한 넓이 -

PLUS 1 넓이가 같은 것

정사각형 안에 무늬를 그렸습니다. 색칠한 부분의 넓이가 다른 것 하나를 찾아 ×표 하세요.

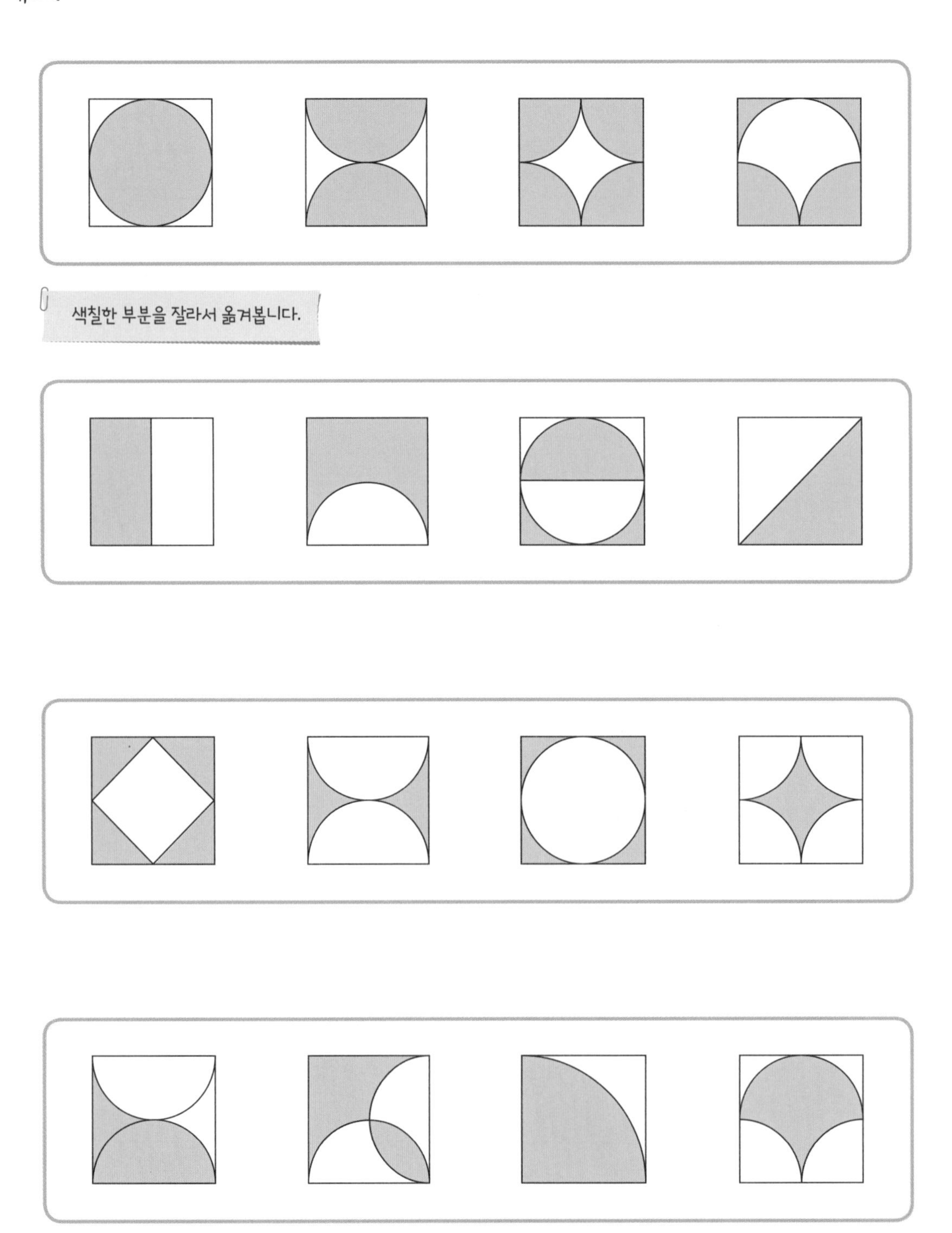

정사각형 안에 무늬를 그렸습니다. 색칠한 부분의 넓이를 합하면 정사각형의 넓이가 되는 것끼리 짝지어 기호를 써 보세요.

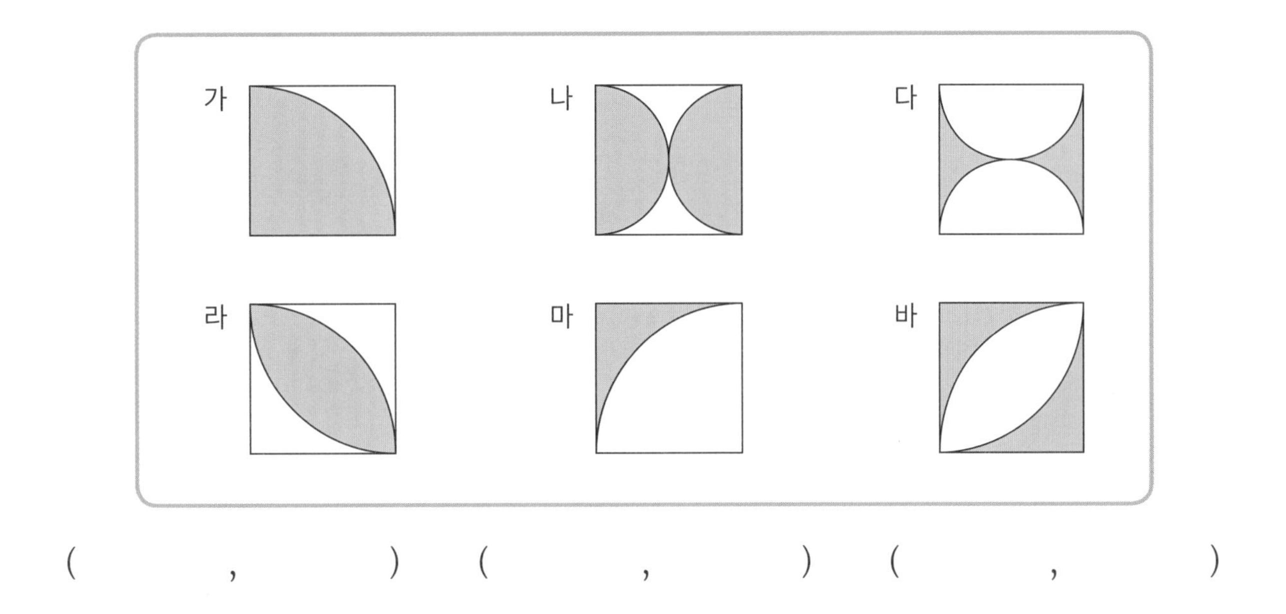

(,) (,) (,)

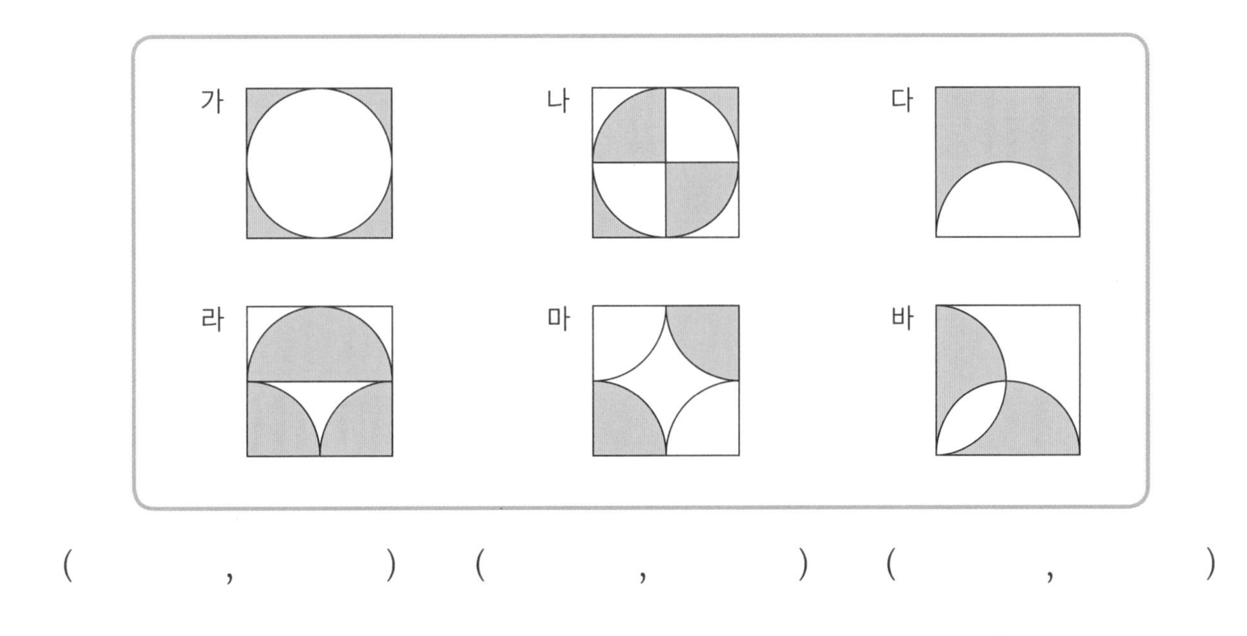

(,) (,) (,)

도형 이동하기

모눈의 한 칸은 4 cm입니다. 색칠한 부분의 넓이를 구해 보세요. (원주율: 3.1)

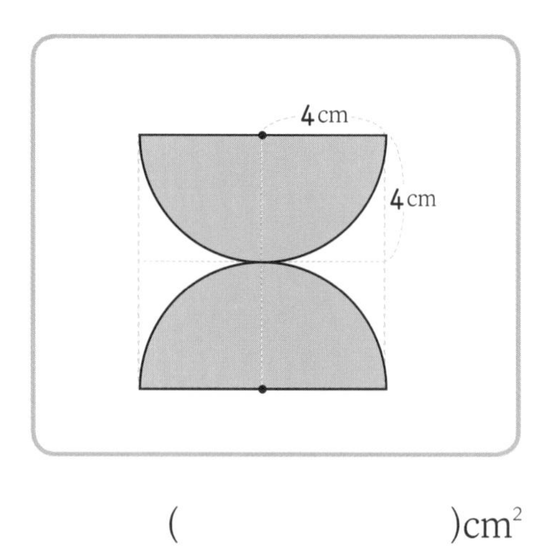

( )cm^2

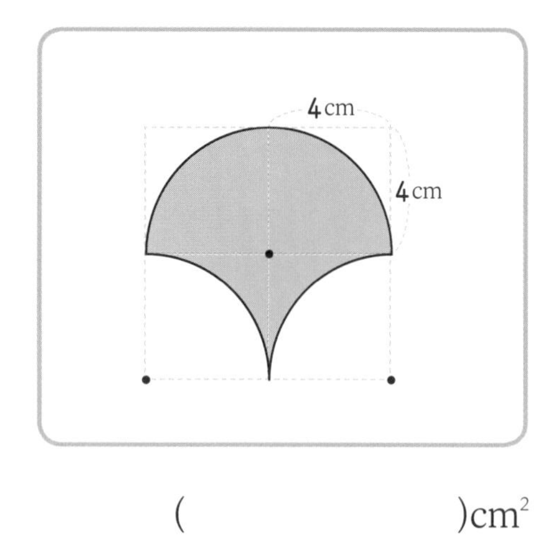

( )cm^2

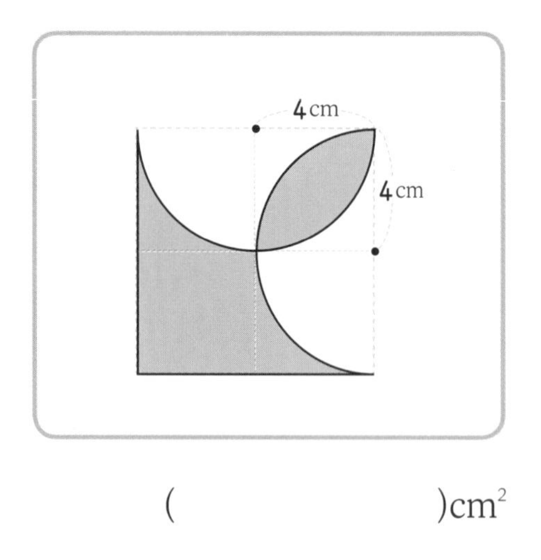

( )cm^2

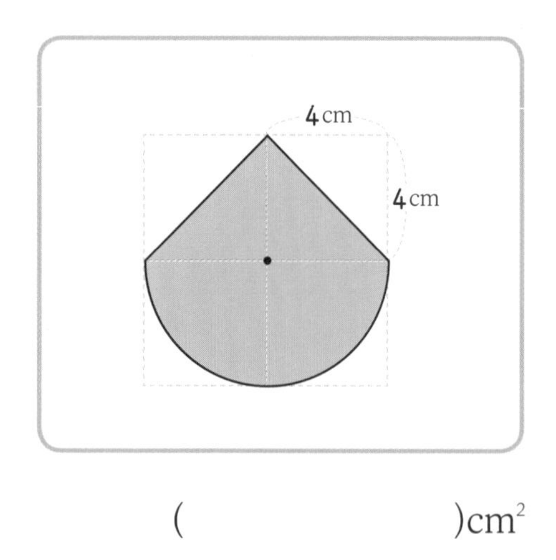

( )cm^2

색칠한 부분의 넓이를 구해 보세요. (원주율: 3)

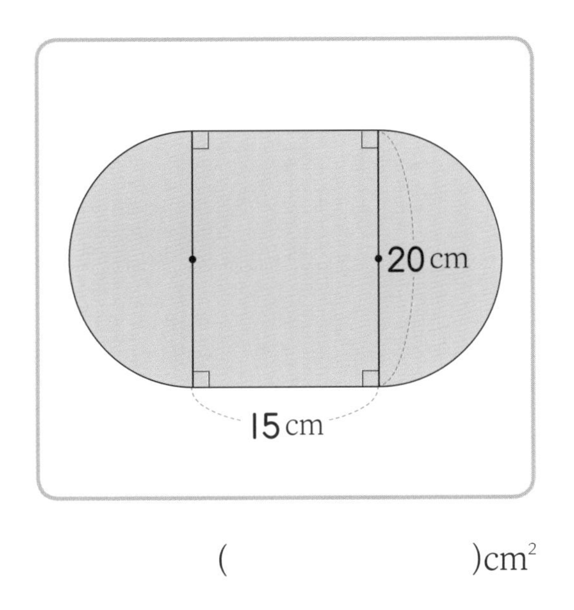

( )cm^2

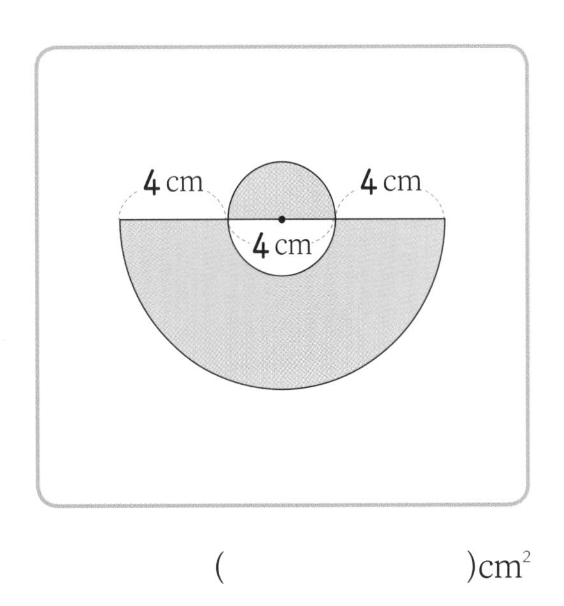

( )cm^2

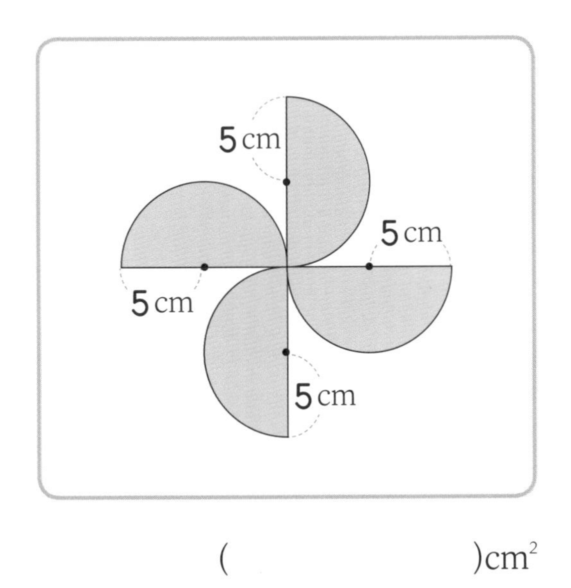

( )cm^2

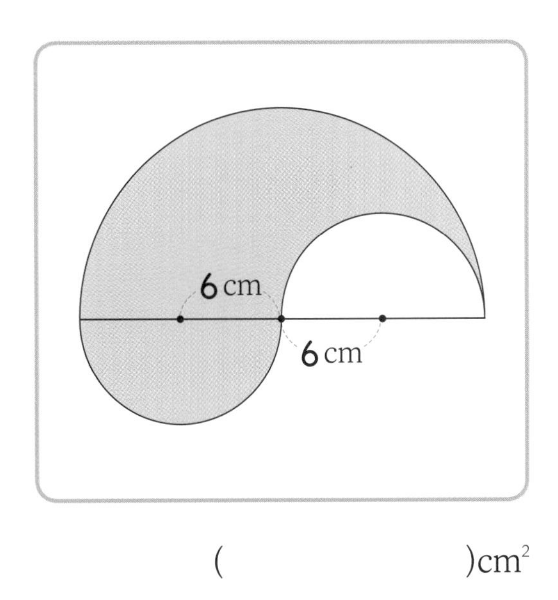

( )cm^2

PLUS 3

큰 도형에서 빼기

모눈의 한 칸은 3 cm입니다. 색칠한 부분의 넓이를 구해 보세요. (원주율: 3.1)

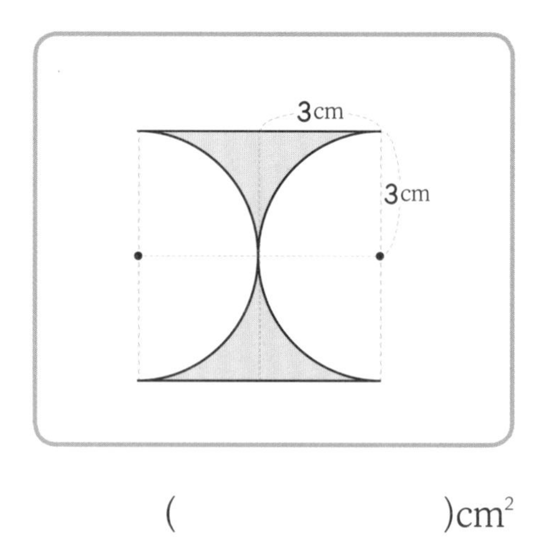

( )cm^2

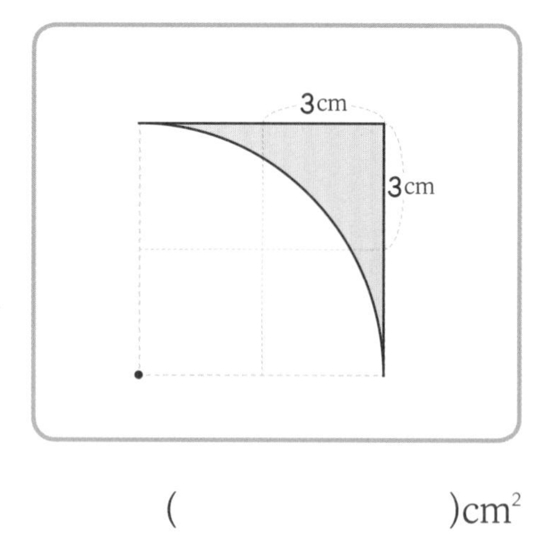

( )cm^2

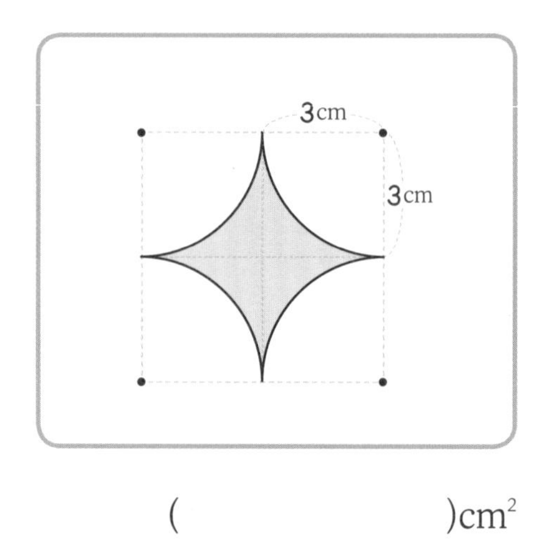

( )cm^2

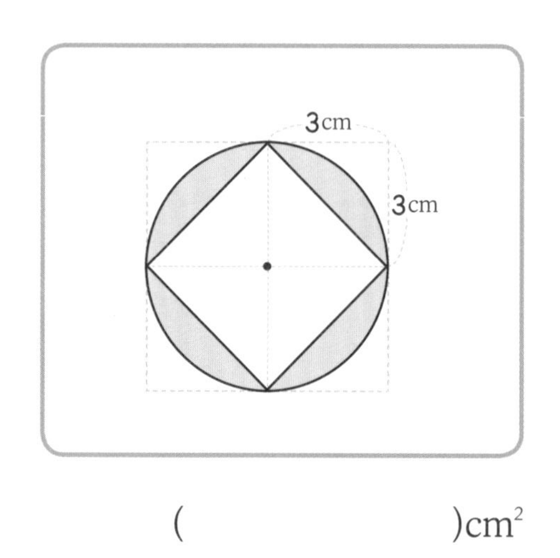

( )cm^2

색칠한 부분의 넓이를 구해 보세요. (원주율: 3)

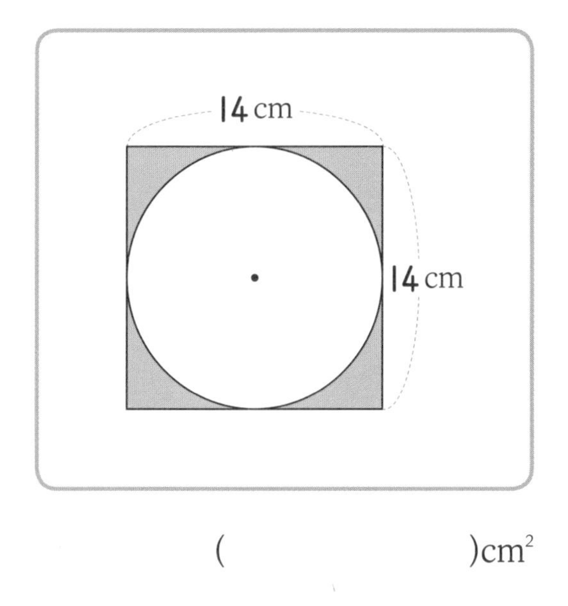

( )cm^2

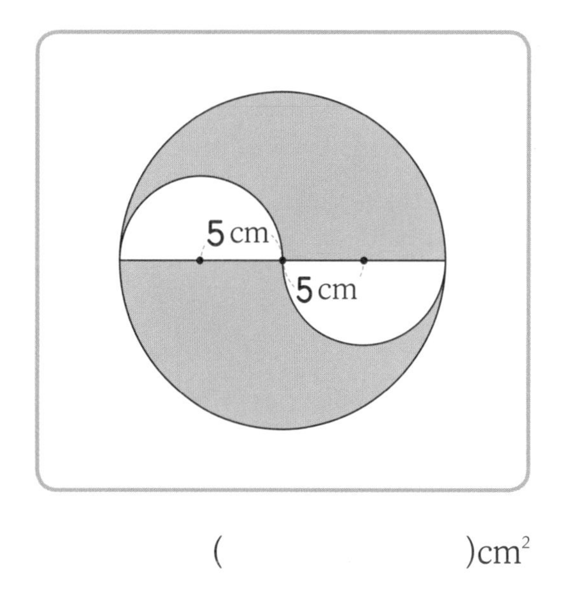

( )cm^2

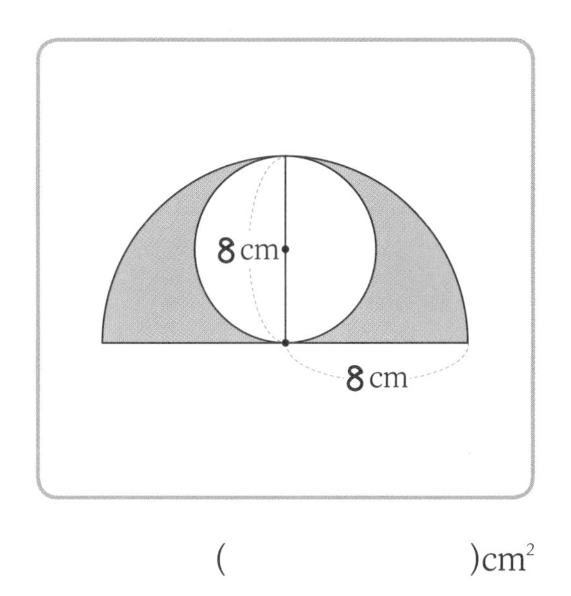

( )cm^2

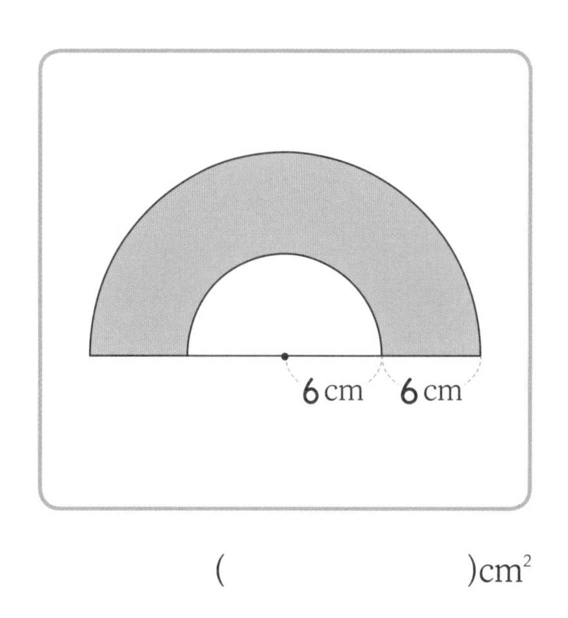

( )cm^2

memo

형성평가

형성평가 1회

1 원의 넓이를 구해 보세요. (원주율: 3.14)

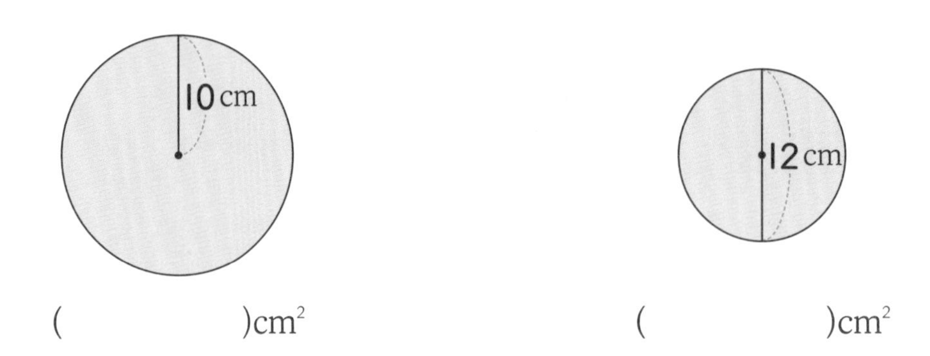

( )cm^2　　　　( )cm^2

2 씨름장은 지름이 15 m인 원 모양입니다. 씨름장의 둘레를 따라 한 바퀴 걸으면 몇 m를 걸을까요? (원주율: 3.1)

( )m

3 두께가 일정한 통나무를 한 바퀴 굴렸더니 굴러간 거리가 155 cm입니다. 통나무의 반지름은 몇 cm일까요? (원주율: 3.1)

( )cm

4 연수와 정우가 피자를 만들었습니다. 연수가 만든 피자의 반지름은 9 cm이고, 정우가 만든 피자의 원주는 62 cm입니다. 누가 더 큰 피자를 만들었을까요? (원주율: 3.1)

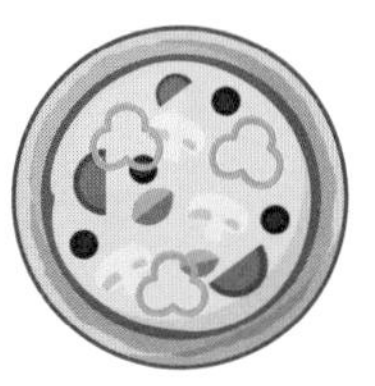

( )

5 지름이 4 cm인 원 **가**와 지름이 12 cm인 원 **나**가 있습니다. 원 **나**의 넓이는 원 **가**의 넓이의 몇 배일까요? (원주율: 3)

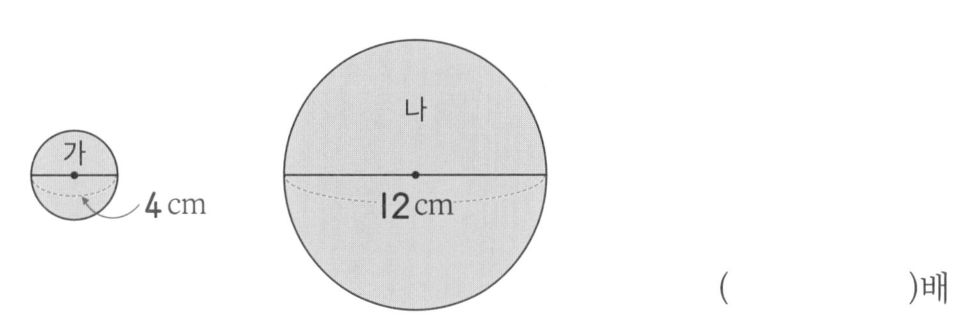

( )배

6 파란색 부분과 노란색 부분의 넓이를 각각 구해 보세요. (원주율: 3)

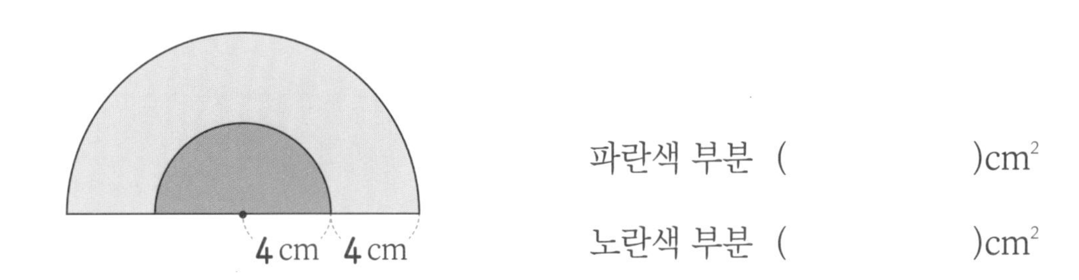

파란색 부분 ( )cm^2

노란색 부분 ( )cm^2

형성평가 2회

1 원기둥, 원뿔, 구 중에서 어느 방향에서 보아도 모양이 같은 도형은 무엇일까요?

(　　　　　　　)

2 두 원뿔에서 모선의 길이의 차는 몇 cm일까요?

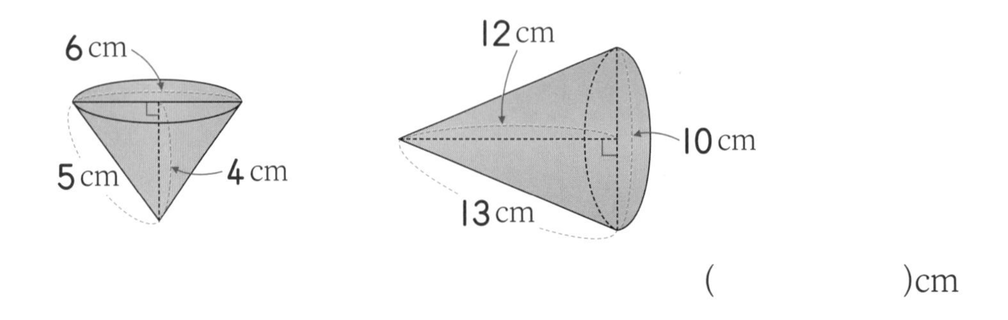

(　　　　　　)cm

3 원기둥의 전개도를 보고 바르게 설명한 것에 ○표, 잘못 설명한 것에 ×표 하세요.

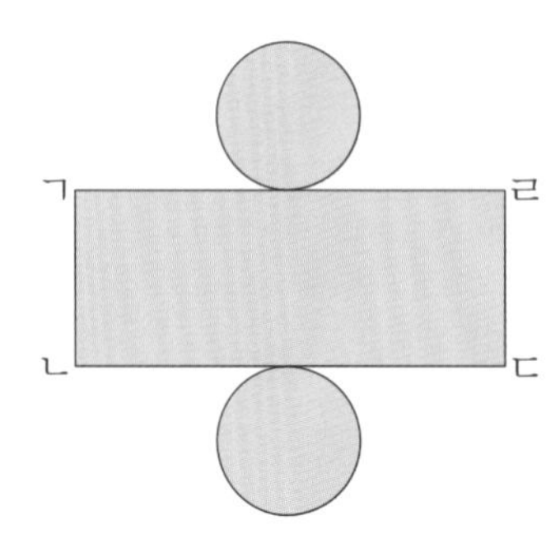

선분 ㄱㄴ의 길이는 원기둥의 높이와 같습니다. ········ (　　　)

선분 ㄴㄷ과 선분 ㄷㄹ 길이의 합은 한 밑면의 둘레와 같습니다. ···· (　　　)

맞힌 문항 수: ______ 문항 / 6문항

4 수가 가장 많은 것부터 차례로 기호를 써 보세요.

㉠ 원기둥의 밑면의 수
㉡ 구의 반지름의 수
㉢ 원뿔의 밑면의 수

(, ,)

5 원기둥을 펼친 전개도를 그릴 때 전개도에서 옆면의 넓이는 몇 cm^2일까요? (원주율: 3)

( )cm^2

6 원기둥의 전개도에서 한 밑면의 넓이는 몇 cm^2일까요? (원주율: 3.1)

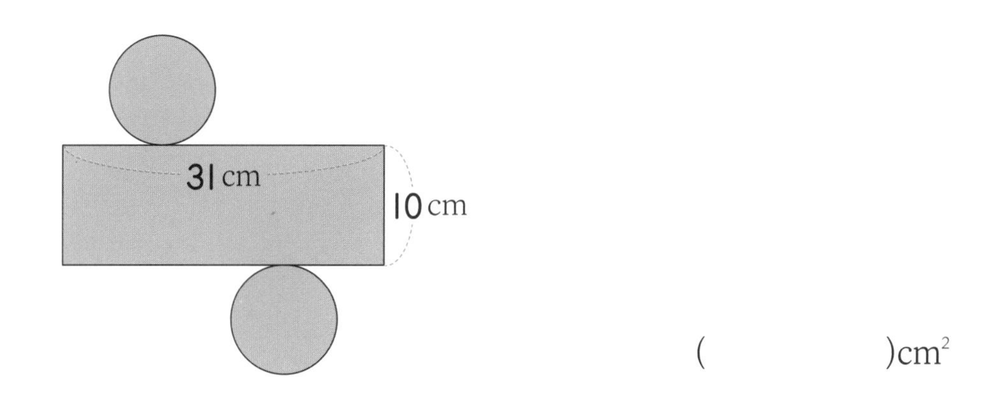

( )cm^2

memo

하루 한 장 60일 집중 완성

교과도형

초6

F3

원, 원기둥, 원뿔, 구

정 답

F3
원, 원기둥, 원뿔, 구

1주차 원주와 원주율

8쪽·9쪽

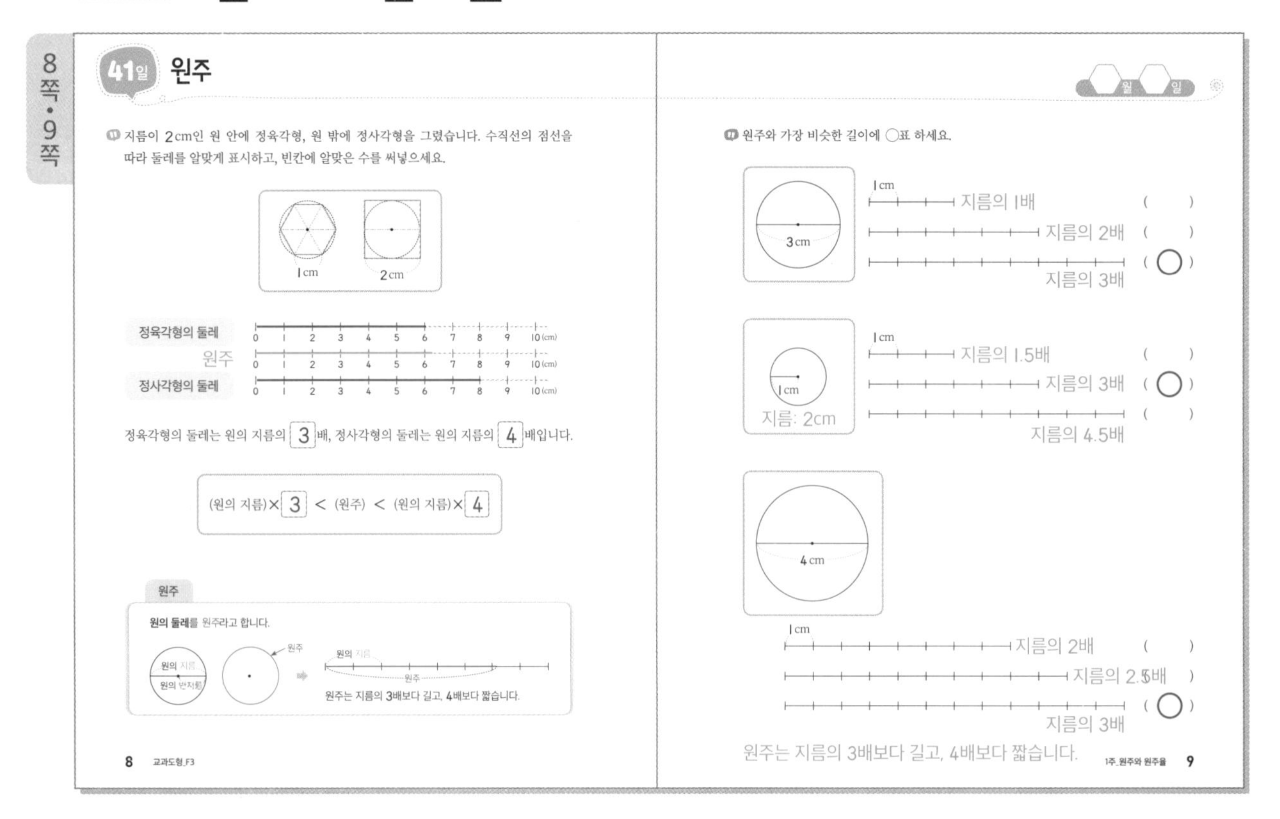

41일 원주

01 지름이 2cm인 원 안에 정육각형, 원 밖에 정사각형을 그렸습니다. 수직선의 점선을 따라 둘레를 알맞게 표시하고, 빈칸에 알맞은 수를 써넣으세요.

정육각형의 둘레는 원의 지름의 3배, 정사각형의 둘레는 원의 지름의 4배입니다.

(원의 지름)×3 < (원주) < (원의 지름)×4

원주

원의 둘레를 원주라고 합니다.

원주는 지름의 3배보다 길고, 4배보다 짧습니다.

02 원주와 가장 비슷한 길이에 ○표 하세요.

원주는 지름의 3배보다 길고, 4배보다 짧습니다.

10쪽·11쪽

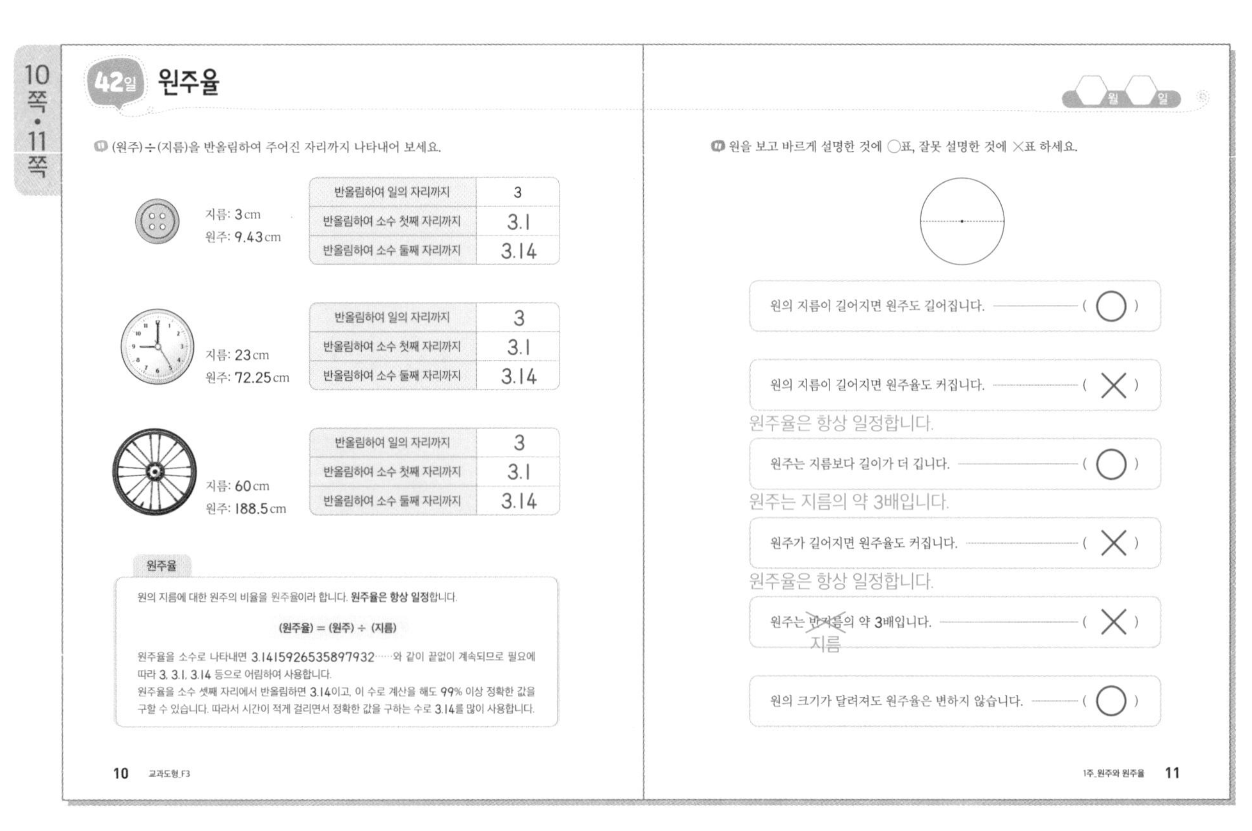

42일 원주율

01 (원주)÷(지름)을 반올림하여 주어진 자리까지 나타내어 보세요.

지름: 3cm
원주: 9.43cm

반올림하여 일의 자리까지	3
반올림하여 소수 첫째 자리까지	3.1
반올림하여 소수 둘째 자리까지	3.14

지름: 23cm
원주: 72.25cm

반올림하여 일의 자리까지	3
반올림하여 소수 첫째 자리까지	3.1
반올림하여 소수 둘째 자리까지	3.14

지름: 60cm
원주: 188.5cm

반올림하여 일의 자리까지	3
반올림하여 소수 첫째 자리까지	3.1
반올림하여 소수 둘째 자리까지	3.14

원주율

원의 지름에 대한 원주의 비율을 원주율이라 합니다. **원주율은 항상 일정**합니다.

(원주율) = (원주) ÷ (지름)

원주율을 소수로 나타내면 3.1415926535897932……와 같이 끝없이 계속되므로 필요에 따라 3, 3.1, 3.14 등으로 어림하여 사용합니다.
원주율을 소수 셋째 자리에서 반올림하면 3.14이고, 이 수로 계산을 해도 99% 이상 정확한 값을 구할 수 있습니다. 따라서 시간이 적게 걸리면서 정확한 값을 구하는 수로 3.14를 많이 사용합니다.

02 원을 보고 바르게 설명한 것에 ○표, 잘못 설명한 것에 ×표 하세요.

원의 지름이 길어지면 원주도 길어집니다. (○)

원의 지름이 길어지면 원주율도 커집니다. (×)
원주율은 항상 일정합니다.

원주는 지름보다 길이가 더 깁니다. (○)
원주는 지름의 약 3배입니다.

원주가 길어지면 원주율도 커집니다. (×)
원주율은 항상 일정합니다.

원주는 반지름의 약 3배입니다. (×)
지름

원의 크기가 달라져도 원주율은 변하지 않습니다. (○)

43일 원주 구하기

1 원주를 구해 보세요. (원주율: 3.14)

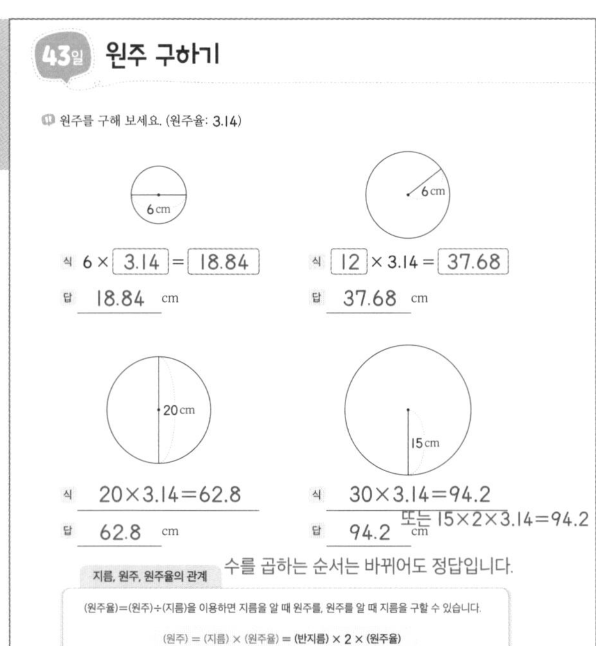

식 6 × 3.14 = 18.84
답 18.84 cm

식 12 × 3.14 = 37.68
답 37.68 cm

식 20×3.14=62.8
답 62.8 cm

식 30×3.14=94.2 또는 15×2×3.14=94.2
답 94.2 cm

수를 곱하는 순서는 바뀌어도 정답입니다.

지름, 원주, 원주율의 관계

(원주율)=(원주)÷(지름)을 이용하면 지름을 알 때 원주를, 원주를 알 때 지름을 구할 수 있습니다.

(원주) = (지름) × (원주율) = (반지름) × 2 × (원주율)

(지름) = (원주) ÷ (원주율)　원주는 지름의 약 3배입니다.

월 일

2 물음에 답하세요.

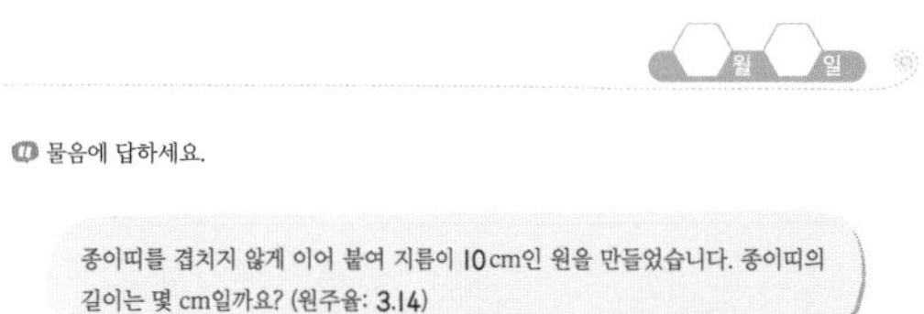

종이띠를 겹치지 않게 이어 붙여 지름이 10 cm인 원을 만들었습니다. 종이띠의 길이는 몇 cm일까요? (원주율: 3.14)

종이띠의 길이는 원주와 같습니다.
10×3.14=31.4(cm)

(31.4)cm

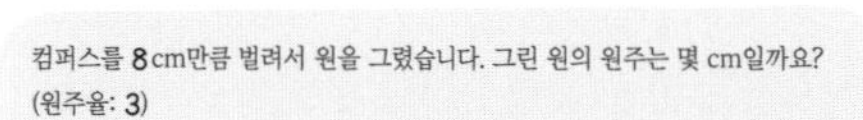

컴퍼스를 8 cm만큼 벌려서 원을 그렸습니다. 그린 원의 원주는 몇 cm일까요? (원주율: 3)

컴퍼스는 원의 반지름만큼 벌리므로 그린 원의 지름은 16cm가 됩니다. 16×3=48(cm)

(48)cm

원주가 가장 긴 원부터 차례로 기호를 써 보세요. (원주율: 3.1)

가	나	다
지름이 5 cm인 원	반지름이 4 cm인 원	원주가 27.9 cm인 원

가: 5×3.1=15.5(cm)
나: 8×3.1=24.8(cm)
다: 27.9cm

(다 , 나 , 가)

44일 지름 구하기

1 원의 지름을 구해 보세요. (원주율: 3.1)

원주: 15.5 cm
식 15.5 ÷ 3.1 = 5
답 5 cm

원주: 12.4 cm
식 12.4 ÷ 3.1 = 4
답 4 cm

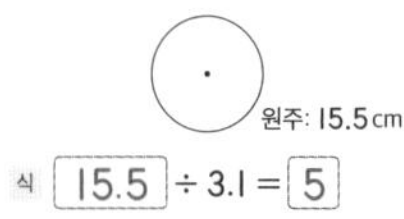
원주: 21.7 cm
식 21.7÷3.1=7
답 7 cm

원주: 31 cm
식 31÷3.1=10
답 10 cm

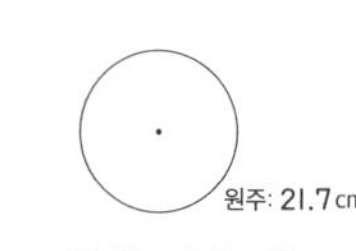
원주: 34.1 cm
식 34.1÷3.1=11
답 11 cm

원주: 27.9 cm
식 27.9÷3.1=9
답 9 cm

월 일

2 물음에 답하세요.

100원짜리 동전의 원주는 75.36 mm입니다. 100원짜리 동전의 지름은 몇 mm일까요? (원주율: 3.14)

75.36÷3.14=24(mm)

(24)mm

컴퍼스를 이용하여 원주가 36 cm인 원을 그렸습니다. 컴퍼스를 몇 cm만큼 벌렸을까요? (원주율: 3)

36÷3=12(cm)
지름이 12cm인 원을 그렸으므로 컴퍼스를 6cm만큼 벌렸습니다.

(6)cm

원주가 201.5 cm인 자전거 바퀴와 원주가 186 cm인 자동차 바퀴가 있습니다. 자전거 바퀴는 자동차 바퀴보다 지름이 몇 cm 더 길까요? (원주율: 3.1)

자전거 바퀴의 지름: 201.5÷3.1=65(cm)
자동차 바퀴의 지름: 186÷3.1=60(cm)
65−60=5(cm)

(5)cm

정답

16쪽·17쪽

45일 원주와 지름

월 일

11 물음에 답하세요.

작은 원의 원주는 몇 cm일까요? (원주율: 3.1)

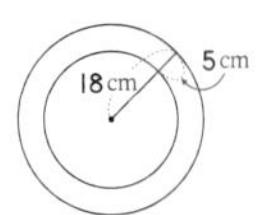

(80.6)cm

작은 원의 반지름: 18−5=13(cm) → 지름: 26cm
작은 원의 원주: 26×3.1=80.6(cm)

지름이 40 cm인 바퀴를 5바퀴 굴렸습니다. 바퀴가 굴러간 거리는 몇 cm일까요? (원주율: 3.14)

(628)cm

바퀴 원주의 5배만큼 굴러갑니다.
40×3.14×5=628(cm)

지름이 15 m인 연못 둘레에 5 m 간격으로 깃발을 꽂았습니다. 연못 둘레에 꽂은 깃발은 모두 몇 개일까요? (원주율: 3)

(9)개

연못의 둘레를 5m씩 나눕니다.
15×3÷5=9(개)

12 물음에 답하세요.

원주가 93 cm인 피자를 밑면이 정사각형 모양인 상자에 담으려고 합니다. 상자 밑면의 한 변의 길이는 적어도 몇 cm여야 할까요? (원주율: 3.1)

(30)cm

피자의 지름: 93÷3.1=30(cm)
상자 한 변의 길이는 적어도 피자 지름만큼은 되어야 합니다.

큰 원의 원주는 49.6 cm입니다. 작은 원의 지름은 몇 cm일까요? (원주율: 3.1)

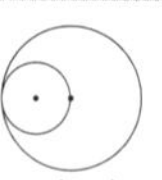

(8)cm

큰 원의 지름: 49.6÷3.1=16(cm)
작은 원의 지름은 큰 원의 반지름과 같으므로 8cm입니다.

바퀴를 10바퀴 굴렸더니 1570 cm만큼 굴러갔습니다. 이 바퀴의 반지름은 몇 cm일까요? (원주율: 3.14)

(25)cm

1570÷10=157(cm), 한 바퀴 굴리면 157cm 굴러갑니다.
157÷3.14=50(cm), 지름은 50cm, 반지름은 25cm입니다.

18쪽

13 지름이 같은 통조림을 종이띠로 겹치지 않게 감았습니다. 통조림을 감는 데 사용한 종이띠의 길이를 구해 보세요. (원주율: 3)

곡선 부분만 이으면 통조림 1개의 원주와 같습니다.

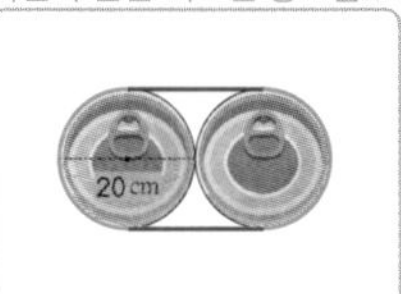

곡선 부분과 직선 부분을 구분합니다.

(100)cm

곡선 부분: 20×3=60(cm)
직선 부분: 20×2=40(cm)
60+40=100(cm)

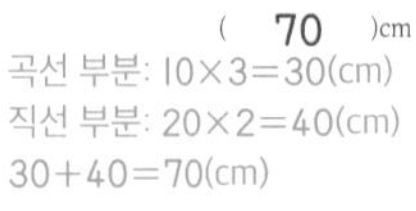

(70)cm

곡선 부분: 10×3=30(cm)
직선 부분: 20×2=40(cm)
30+40=70(cm)

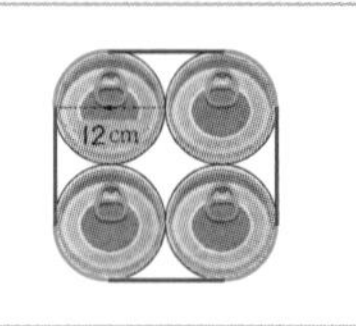

(84)cm

곡선 부분: 12×3=36(cm)
직선 부분: 12×4=48(cm)
36+48=84(cm)

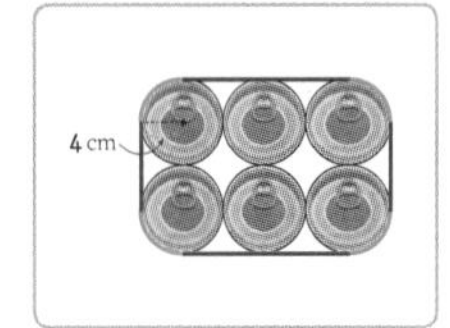

(72)cm

곡선 부분: 8×3=24(cm)
직선 부분: 16×2+8×2=48(cm)
24+48=72(cm)

2주차 원의 넓이

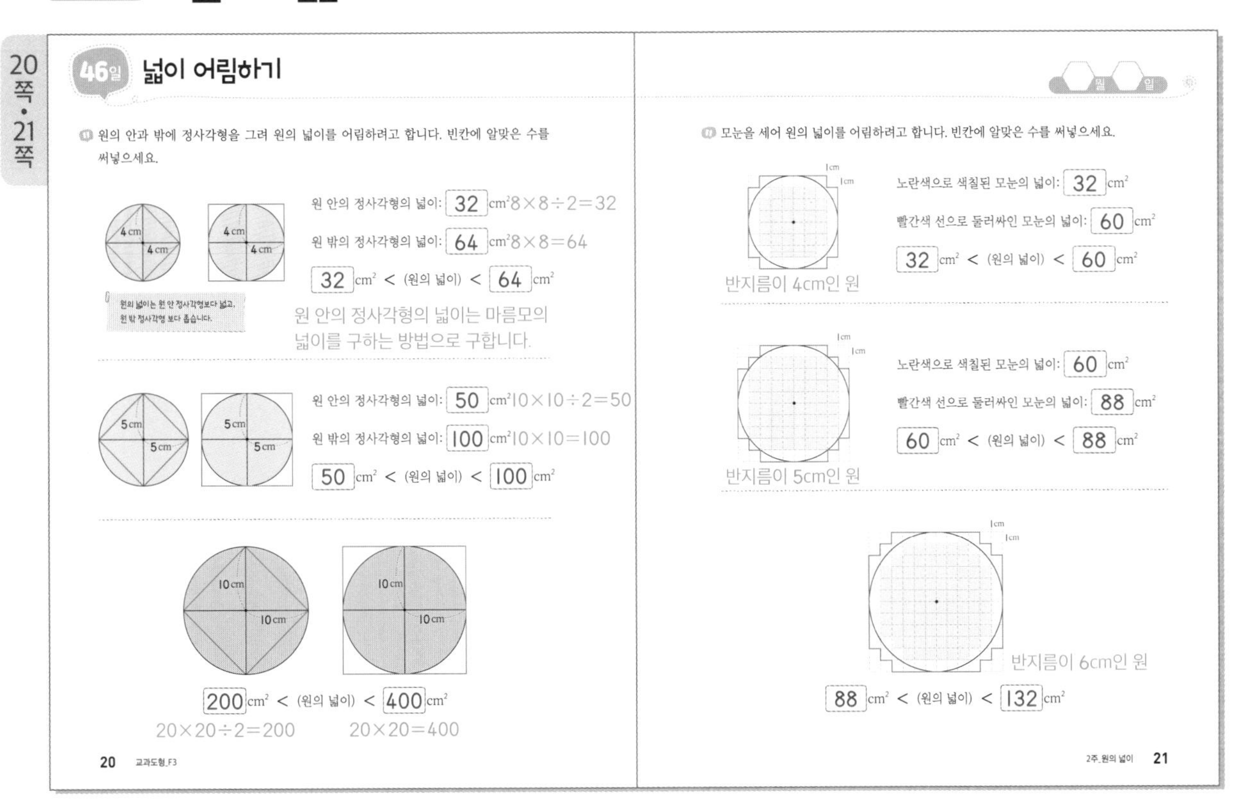
20쪽·21쪽

46일 넓이 어림하기

01 원의 안과 밖에 정사각형을 그려 원의 넓이를 어림하려고 합니다. 빈칸에 알맞은 수를 써넣으세요.

원 안의 정사각형의 넓이: 32 cm² 8×8÷2=32
원 밖의 정사각형의 넓이: 64 cm² 8×8=64
32 cm² < (원의 넓이) < 64 cm²

원의 넓이는 원 안 정사각형보다 넓고, 원 밖 정사각형 보다 좁습니다.

원 안의 정사각형의 넓이는 마름모의 넓이를 구하는 방법으로 구합니다.

원 안의 정사각형의 넓이: 50 cm² 10×10÷2=50
원 밖의 정사각형의 넓이: 100 cm² 10×10=100
50 cm² < (원의 넓이) < 100 cm²

200 cm² < (원의 넓이) < 400 cm²
20×20÷2=200 20×20=400

20 교과도형_F3

02 모눈을 세어 원의 넓이를 어림하려고 합니다. 빈칸에 알맞은 수를 써넣으세요.

반지름이 4cm인 원
노란색으로 색칠된 모눈의 넓이: 32 cm²
빨간색 선으로 둘러싸인 모눈의 넓이: 60 cm²
32 cm² < (원의 넓이) < 60 cm²

반지름이 5cm인 원
노란색으로 색칠된 모눈의 넓이: 60 cm²
빨간색 선으로 둘러싸인 모눈의 넓이: 88 cm²
60 cm² < (원의 넓이) < 88 cm²

반지름이 6cm인 원
88 cm² < (원의 넓이) < 132 cm²

2주_원의 넓이 21

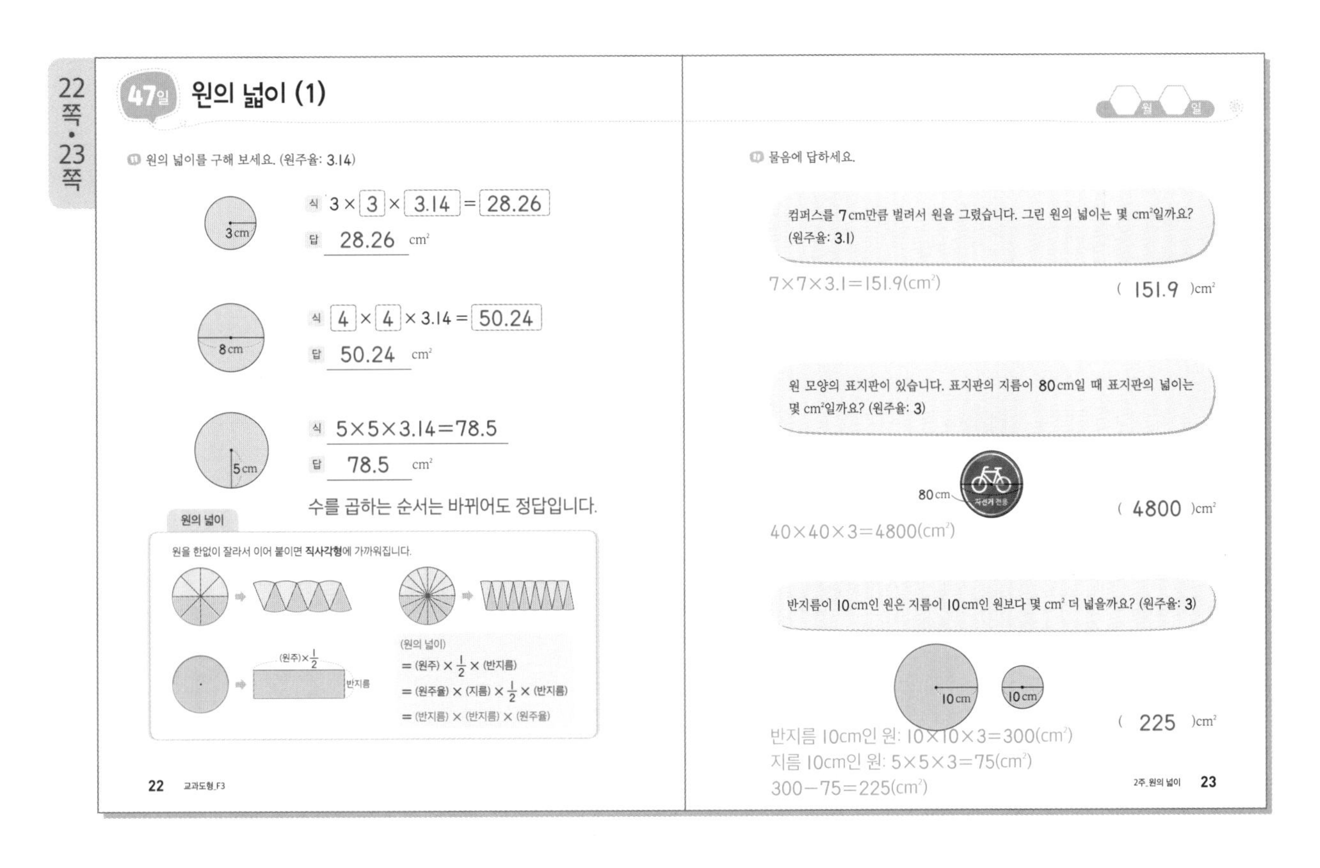
22쪽·23쪽

47일 원의 넓이 (1)

01 원의 넓이를 구해 보세요. (원주율: 3.14)

식 3 × 3 × 3.14 = 28.26
답 28.26 cm²

식 4 × 4 × 3.14 = 50.24
답 50.24 cm²

식 5×5×3.14=78.5
답 78.5 cm²

수를 곱하는 순서는 바뀌어도 정답입니다.

원의 넓이
원을 한없이 잘라서 이어 붙이면 **직사각형**에 가까워집니다.
(원주)×$\frac{1}{2}$, 반지름
(원의 넓이)
= (원주) × $\frac{1}{2}$ × (반지름)
= (원주율) × (지름) × $\frac{1}{2}$ × (반지름)
= (반지름) × (반지름) × (원주율)

22 교과도형_F3

02 물음에 답하세요.

컴퍼스를 7cm만큼 벌려서 원을 그렸습니다. 그린 원의 넓이는 몇 cm²일까요? (원주율: 3.1)
7×7×3.1=151.9(cm²)
(151.9)cm²

원 모양의 표지판이 있습니다. 표지판의 지름이 80cm일 때 표지판의 넓이는 몇 cm²일까요? (원주율: 3)
40×40×3=4800(cm²)
(4800)cm²

반지름이 10cm인 원은 지름이 10cm인 원보다 몇 cm² 더 넓을까요? (원주율: 3)
반지름 10cm인 원: 10×10×3=300(cm²)
지름 10cm인 원: 5×5×3=75(cm²)
300−75=225(cm²)
(225)cm²

2주_원의 넓이 23

48일 원의 넓이 (2)

월 일

물음에 답하세요.

주어진 직사각형 모양의 종이에 그릴 수 있는 가장 큰 원의 넓이는 몇 cm^2일까요? (원주율: 3)

24 cm, 30 cm

그릴 수 있는 가장 큰 원의 지름은 24cm입니다.
$12\times12\times3=432(cm^2)$

(432) cm^2

원주가 62cm인 원 모양의 접시가 있습니다. 접시의 넓이는 몇 cm^2일까요? (원주율: 3.1)

접시의 지름: $62\div3.1=20(cm)$
접시의 넓이: $10\times10\times3.1=310(cm^2)$
*원의 넓이는 (원주의 반)×(반지름)이므로
$62\div2\times10=310(cm^2)$으로도 구할 수 있습니다.

(310) cm^2

넓이가 314 cm^2인 원이 있습니다. 이 원의 지름은 몇 cm일까요? (원주율: 3.14)

원의 반지름을 □cm라 하면
□×□×3.14=314(cm^2), □×□=100, □=10
반지름이 10cm이므로 지름은 20cm입니다.

(20) cm

물음에 답하세요.

직사각형과 원의 넓이가 서로 같습니다. 원의 반지름은 몇 cm일까요? (원주율: 3)

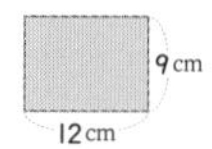

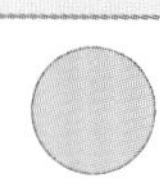

(6) cm

직사각형의 넓이: $12\times9=108(cm^2)$
원의 반지름을 □cm라 하면 □×□×3=108(cm^2)
□×□=36, □=6

넓이가 가장 넓은 원부터 차례로 기호를 써 보세요. (원주율: 3)

반지름이 길수록 원의 넓이도 넓어집니다.

반지름을 구해 봅니다.

㉠ 지름이 26 cm인 원 13cm
㉡ 반지름이 14 cm인 원
㉢ 넓이가 432 cm^2인 원 □×□×3=432, □=12
㉣ 원주가 90 cm인 원 $90\div3=30$ → 15cm

*원의 넓이
㉠ $13\times13\times3=507(cm^2)$
㉡ $14\times14\times3=588(cm^2)$
㉢ $432cm^2$
㉣ 지름: $90\div3=30(cm)$
넓이: $15\times15\times3=675(cm^2)$

(㉣ , ㉡ , ㉠ , ㉢)

49일 반지름과 원주율

월 일

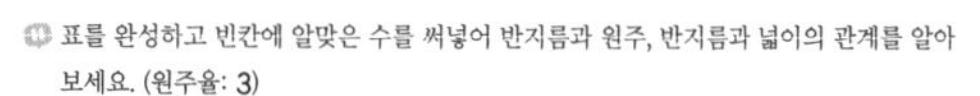

표를 완성하고 빈칸에 알맞은 수를 써넣어 반지름과 원주, 반지름과 넓이의 관계를 알아 보세요. (원주율: 3)

(반지름)×2×(원주율)=(원주)
(반지름×2)×2×(원주율)=(원주)×2
(반지름×3)×2×(원주율)=(원주)×3

(반지름)×(반지름)×(원주율)=(넓이)
(반지름×2)×(반지름×2)×(원주율)=(넓이)×4
(반지름×3)×(반지름×3)×(원주율)=(넓이)×9

	가	나	다
반지름(cm)	1	2	3
원주(cm)	6	12	18
넓이(cm^2)	3	12	27

반지름이 2배 길어지면 원주는 2 배 길어집니다.
1 → 2 6 → 12
반지름이 3배 길어지면 원주는 3 배 길어집니다.
1 → 3 6 → 18
반지름이 2배 길어지면 넓이는 4 배 넓어집니다.
1 → 2 3 → 12
반지름이 3배 길어지면 넓이는 9 배 넓어집니다.
1 → 3 3 → 27

원주율에 따라 원주와 원의 넓이가 각각 얼마나 달라지는지 표를 완성해 보세요.

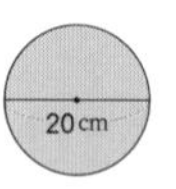

지름(cm)	원주율	원주를 구하는 식	원주(cm)
20	3	$20\times3=60$	60
20	3.1	$20\times3.1=62$	62
20	3.14	$20\times3.14=62.8$	62.8

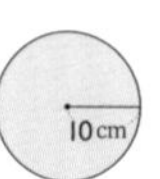

반지름(cm)	원주율	원의 넓이를 구하는 식	원의 넓이(cm^2)
10	3	$10\times10\times3=300$	300
10	3.1	$10\times10\times3.1=310$	310
10	3.14	$10\times10\times3.14=314$	314

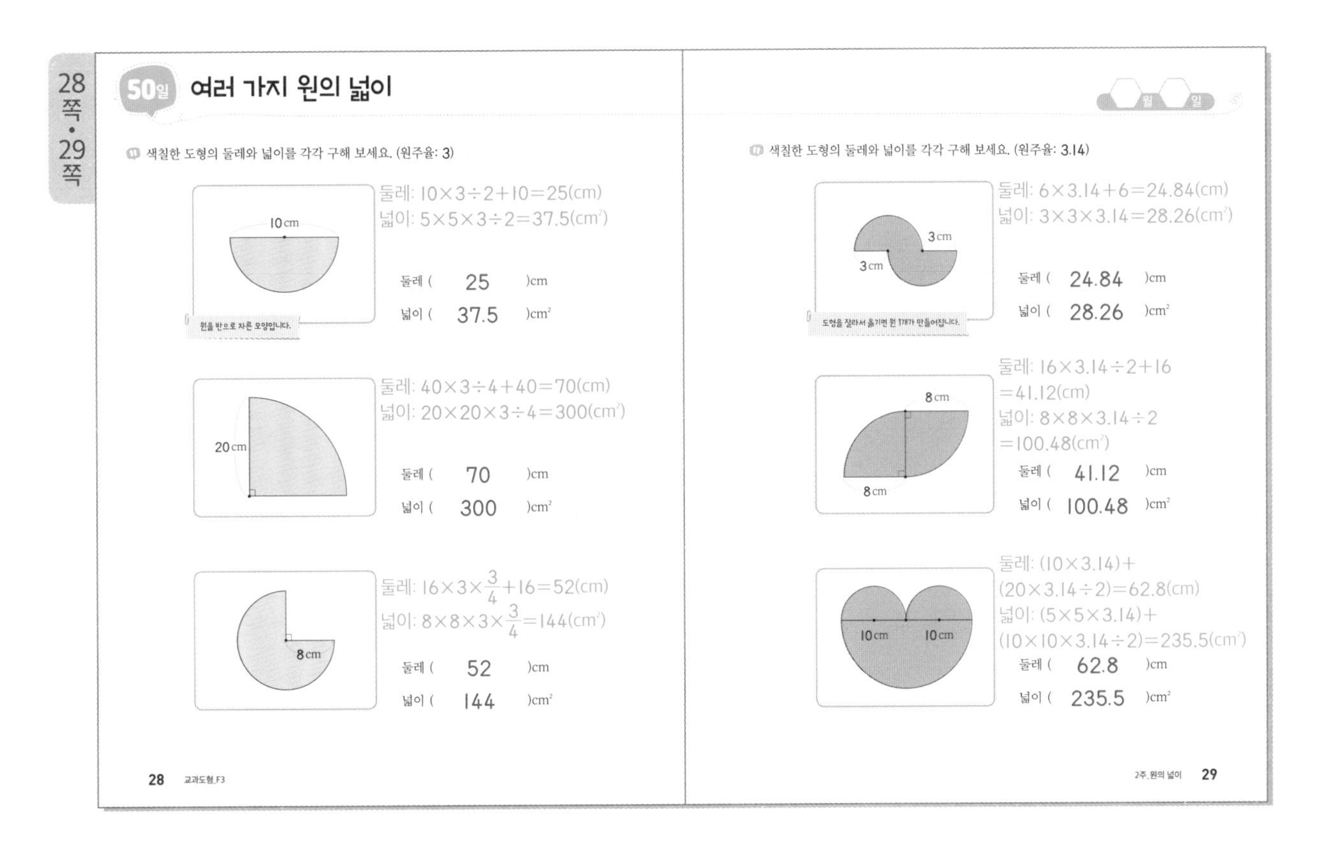
28쪽·29쪽

50일 여러 가지 원의 넓이

11 색칠한 도형의 둘레와 넓이를 각각 구해 보세요. (원주율: 3)

둘레: $10\times3\div2+10=25$(cm)
넓이: $5\times5\times3\div2=37.5$(cm²)

둘레 (25)cm
넓이 (37.5)cm²

둘레: $40\times3\div4+40=70$(cm)
넓이: $20\times20\times3\div4=300$(cm²)

둘레 (70)cm
넓이 (300)cm²

둘레: $16\times3\times\frac{3}{4}+16=52$(cm)
넓이: $8\times8\times3\times\frac{3}{4}=144$(cm²)

둘레 (52)cm
넓이 (144)cm²

28 교과도형_F3

월 일

12 색칠한 도형의 둘레와 넓이를 각각 구해 보세요. (원주율: 3.14)

둘레: $6\times3.14+6=24.84$(cm)
넓이: $3\times3\times3.14=28.26$(cm²)

둘레 (24.84)cm
넓이 (28.26)cm²

둘레: $16\times3.14\div2+16$
$=41.12$(cm)
넓이: $8\times8\times3.14\div2$
$=100.48$(cm²)

둘레 (41.12)cm
넓이 (100.48)cm²

둘레: $(10\times3.14)+$
$(20\times3.14\div2)=62.8$(cm)
넓이: $(5\times5\times3.14)+$
$(10\times10\times3.14\div2)=235.5$(cm²)

둘레 (62.8)cm
넓이 (235.5)cm²

2주_원의 넓이 29

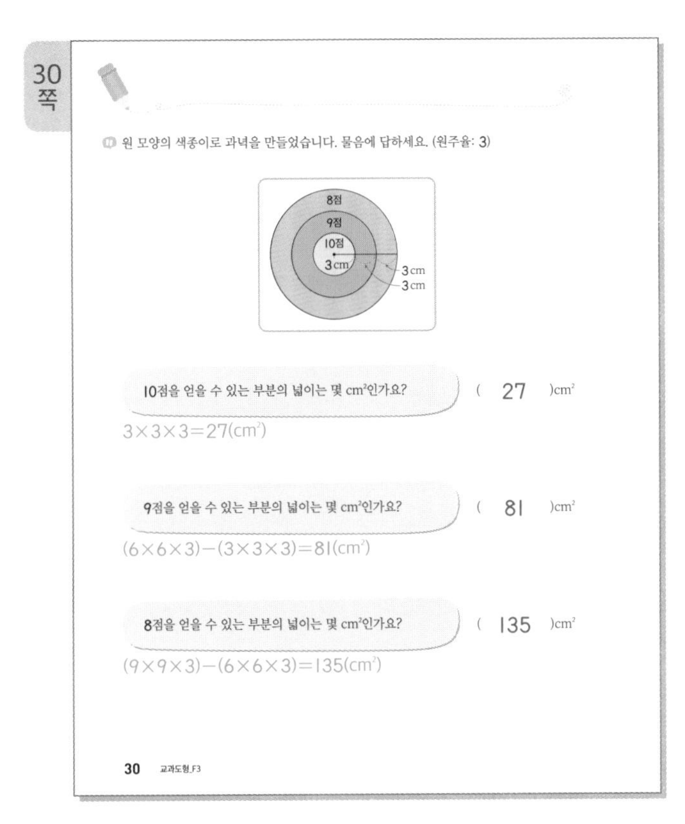
30쪽

13 원 모양의 색종이로 과녁을 만들었습니다. 물음에 답하세요. (원주율: 3)

10점을 얻을 수 있는 부분의 넓이는 몇 cm²인가요? (27)cm²
$3\times3\times3=27$(cm²)

9점을 얻을 수 있는 부분의 넓이는 몇 cm²인가요? (81)cm²
$(6\times6\times3)-(3\times3\times3)=81$(cm²)

8점을 얻을 수 있는 부분의 넓이는 몇 cm²인가요? (135)cm²
$(9\times9\times3)-(6\times6\times3)=135$(cm²)

30 교과도형_F3

3주차 원기둥, 원뿔, 구

32쪽·33쪽

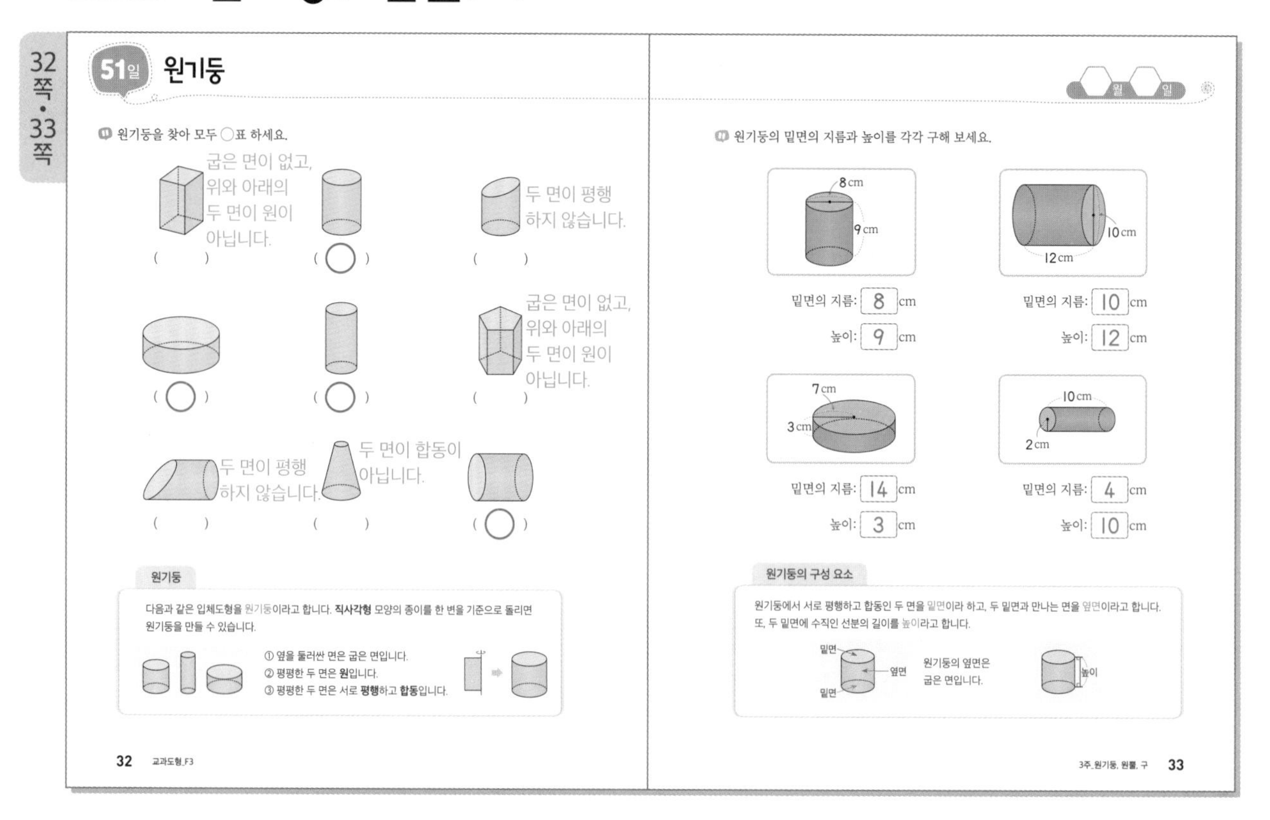

51일 원기둥

1 원기둥을 찾아 모두 ○표 하세요.

( ) 굽은 면이 없고, 위와 아래의 두 면이 원이 아닙니다. (○) ( ) 두 면이 평행하지 않습니다.

(○) (○) ( ) 굽은 면이 없고, 위와 아래의 두 면이 원이 아닙니다.

( ) 두 면이 평행하지 않습니다. ( ) 두 면이 합동이 아닙니다. (○)

원기둥

다음과 같은 입체도형을 원기둥이라고 합니다. **직사각형** 모양의 종이를 한 변을 기준으로 돌리면 원기둥을 만들 수 있습니다.

① 옆을 둘러싼 면은 굽은 면입니다.
② 평평한 두 면은 **원**입니다.
③ 평평한 두 면은 서로 **평행**하고 **합동**입니다.

32 교과도형_F3

월 일

2 원기둥의 밑면의 지름과 높이를 각각 구해 보세요.

밑면의 지름: 8 cm, 높이: 9 cm

밑면의 지름: 10 cm, 높이: 12 cm

밑면의 지름: 14 cm, 높이: 3 cm

밑면의 지름: 4 cm, 높이: 10 cm

원기둥의 구성 요소

원기둥에서 서로 평행하고 합동인 두 면을 밑면이라 하고, 두 밑면과 만나는 면을 옆면이라고 합니다. 또, 두 밑면에 수직인 선분의 길이를 높이라고 합니다.

3주_원기둥, 원뿔, 구 33

34쪽·35쪽

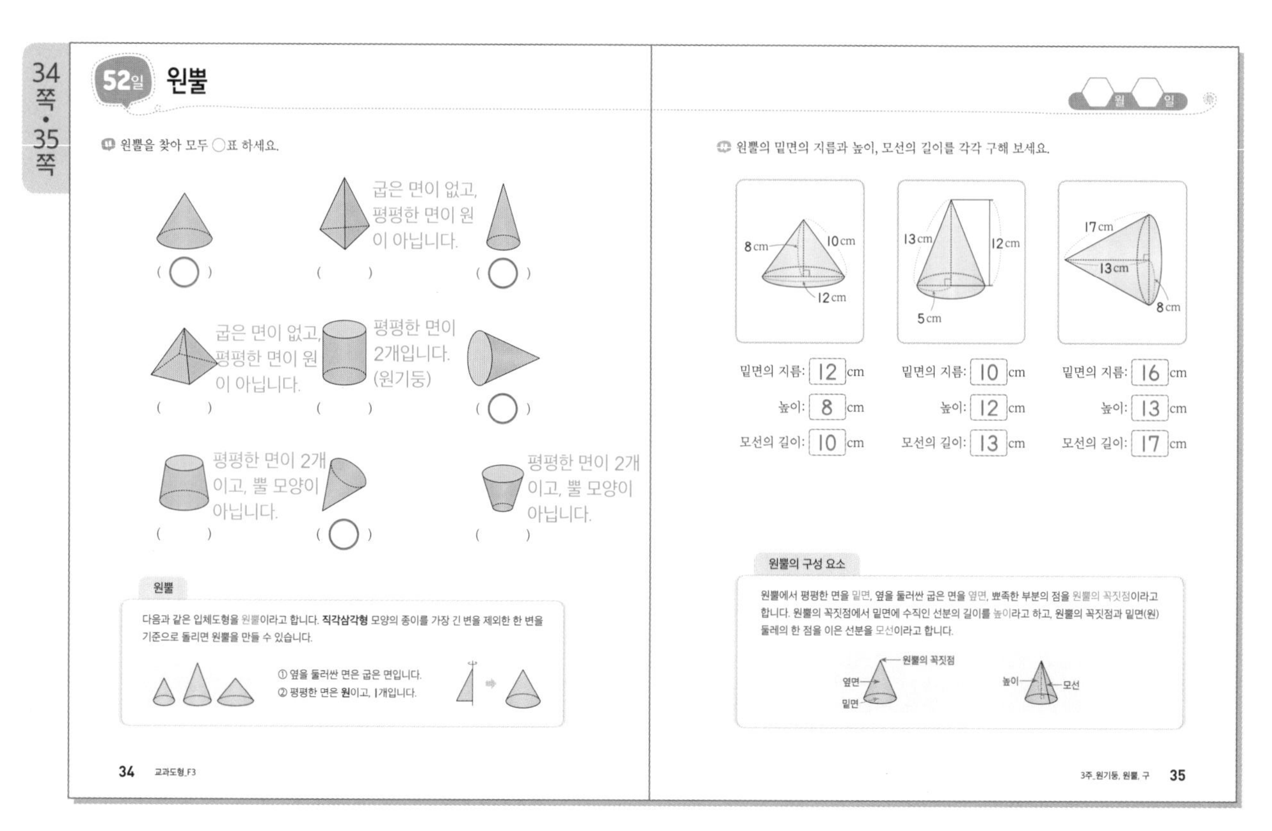

52일 원뿔

1 원뿔을 찾아 모두 ○표 하세요.

(○) ( ) 굽은 면이 없고, 평평한 면이 원이 아닙니다. (○)

( ) 굽은 면이 없고, 평평한 면이 원이 아닙니다. ( ) 평평한 면이 2개입니다. (원기둥) (○)

( ) 평평한 면이 2개이고, 뿔 모양이 아닙니다. (○) ( ) 평평한 면이 2개이고, 뿔 모양이 아닙니다.

원뿔

다음과 같은 입체도형을 원뿔이라고 합니다. **직각삼각형** 모양의 종이를 가장 긴 변을 제외한 한 변을 기준으로 돌리면 원뿔을 만들 수 있습니다.

① 옆을 둘러싼 면은 굽은 면입니다.
② 평평한 면은 **원**이고, 1개입니다.

34 교과도형_F3

월 일

2 원뿔의 밑면의 지름과 높이, 모선의 길이를 각각 구해 보세요.

밑면의 지름: 12 cm, 높이: 8 cm, 모선의 길이: 10 cm

밑면의 지름: 10 cm, 높이: 12 cm, 모선의 길이: 13 cm

밑면의 지름: 16 cm, 높이: 13 cm, 모선의 길이: 17 cm

원뿔의 구성 요소

원뿔에서 평평한 면을 밑면, 옆을 둘러싼 굽은 면을 옆면, 뾰족한 부분의 점을 원뿔의 꼭짓점이라고 합니다. 원뿔의 꼭짓점에서 밑면에 수직인 선분의 길이를 높이라고 하고, 원뿔의 꼭짓점과 밑면(원) 둘레의 한 점을 이은 선분을 모선이라고 합니다.

3주_원기둥, 원뿔, 구 35

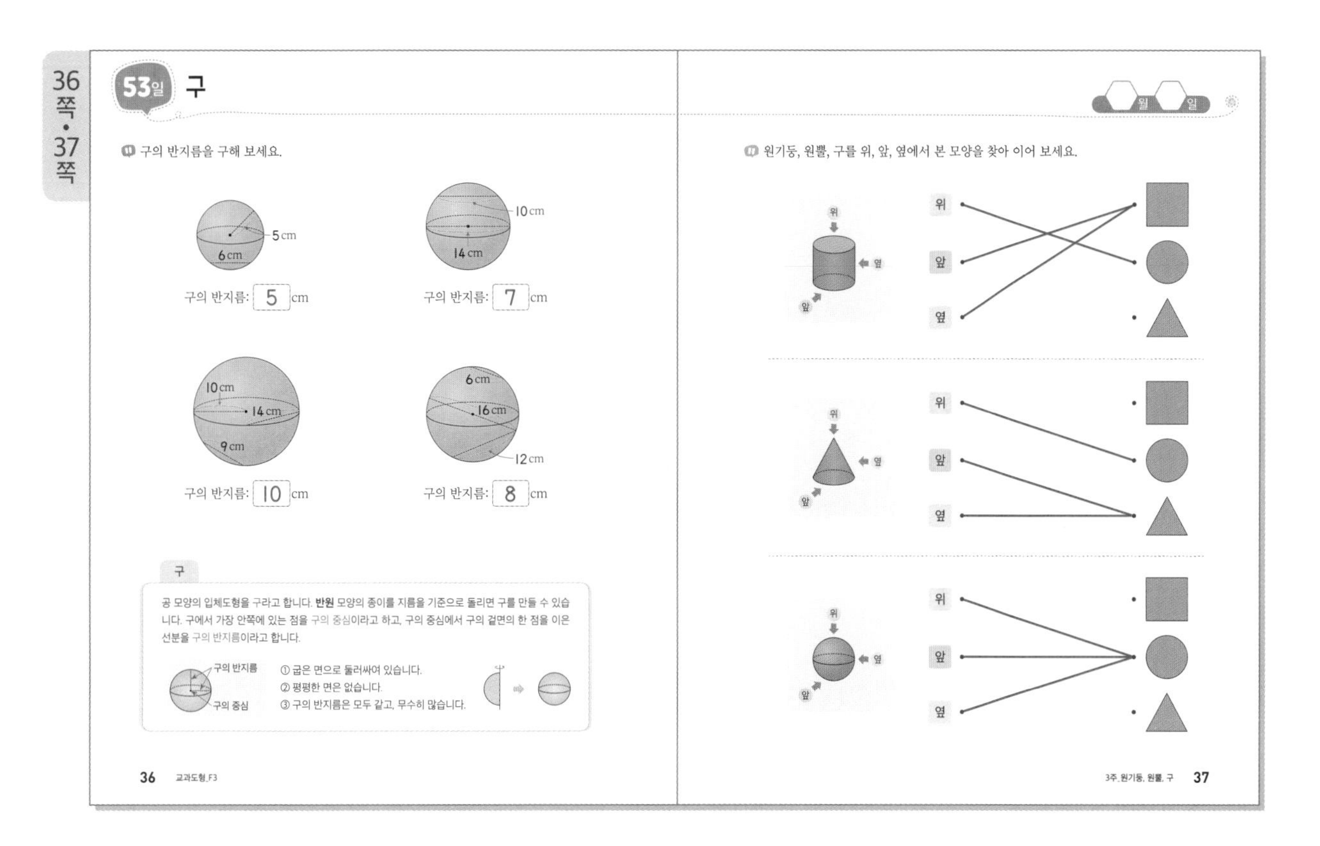
36쪽·37쪽
53일 구
구의 반지름을 구해 보세요.
5cm
6cm
구의 반지름: 5 cm
10cm
14cm
구의 반지름: 7 cm
10cm
14cm
9cm
구의 반지름: 10 cm
6cm
16cm
12cm
구의 반지름: 8 cm
구
공 모양의 입체도형을 구라고 합니다. 반원 모양의 종이를 지름을 기준으로 돌리면 구를 만들 수 있습니다. 구에서 가장 안쪽에 있는 점을 구의 중심이라고 하고, 구의 중심에서 구의 겉면의 한 점을 이은 선분을 구의 반지름이라고 합니다.
구의 반지름
구의 중심
① 굽은 면으로 둘러싸여 있습니다.
② 평평한 면은 없습니다.
③ 구의 반지름은 모두 같고, 무수히 많습니다.
36 교과도형_F3
월 일
원기둥, 원뿔, 구를 위, 앞, 옆에서 본 모양을 찾아 이어 보세요.
위
앞
옆
3주_원기둥, 원뿔, 구 37

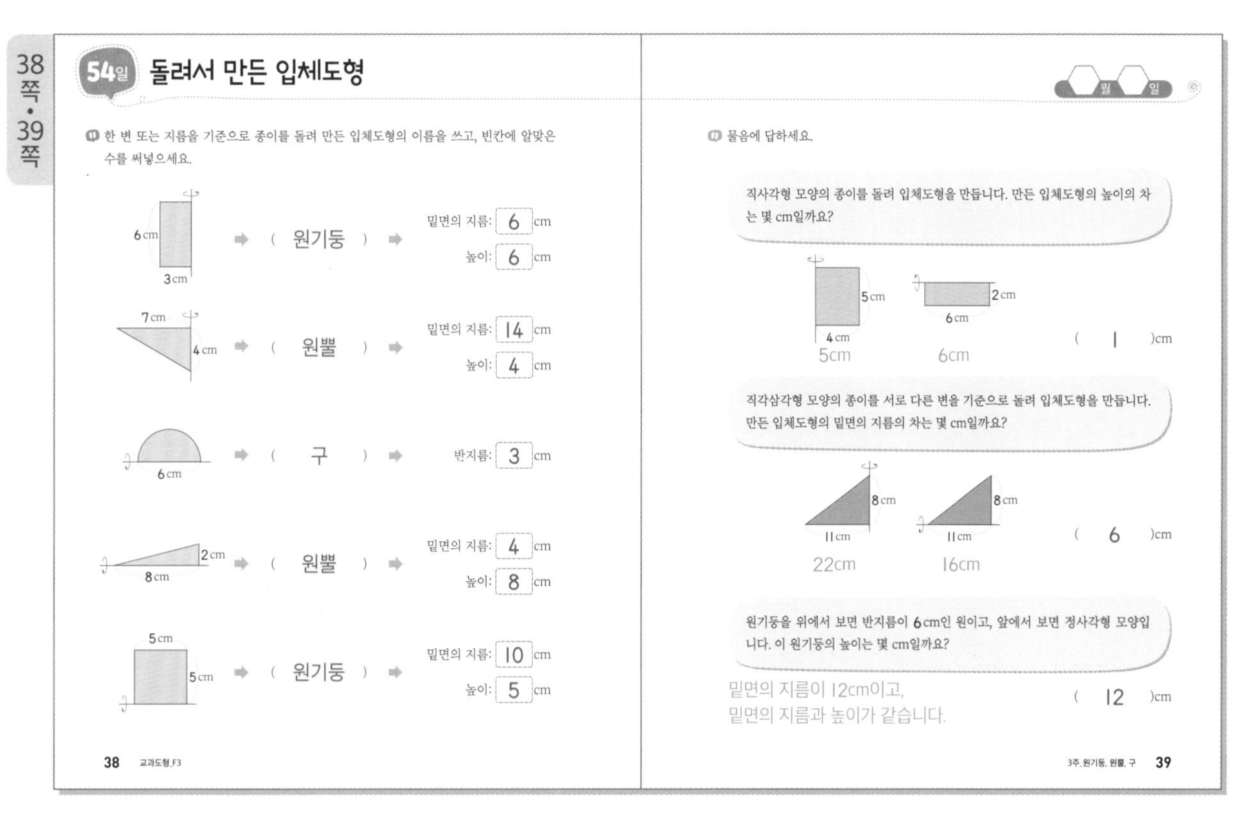
38쪽·39쪽
54일 돌려서 만든 입체도형
한 변 또는 지름을 기준으로 종이를 돌려 만든 입체도형의 이름을 쓰고, 빈칸에 알맞은 수를 써넣으세요.
6cm
3cm
(원기둥)
밑면의 지름: 6 cm
높이: 6 cm
7cm
4cm
(원뿔)
밑면의 지름: 14 cm
높이: 4 cm
6cm
(구)
반지름: 3 cm
2cm
8cm
(원뿔)
밑면의 지름: 4 cm
높이: 8 cm
5cm
5cm
(원기둥)
밑면의 지름: 10 cm
높이: 5 cm
38 교과도형_F3
월 일
물음에 답하세요.
직사각형 모양의 종이를 돌려 입체도형을 만듭니다. 만든 입체도형의 높이의 차는 몇 cm일까요?
5cm
4cm
2cm
6cm
5cm
6cm
(1)cm
직각삼각형 모양의 종이를 서로 다른 변을 기준으로 돌려 입체도형을 만듭니다. 만든 입체도형의 밑면의 지름의 차는 몇 cm일까요?
8cm
11cm
8cm
11cm
22cm
16cm
(6)cm
원기둥을 위에서 보면 반지름이 6cm인 원이고, 앞에서 보면 정사각형 모양입니다. 이 원기둥의 높이는 몇 cm일까요?
밑면의 지름이 12cm이고,
밑면의 지름과 높이가 같습니다.
(12)cm
3주_원기둥, 원뿔, 구 39

40쪽·41쪽

55일 도형 설명하기

⑪ 원기둥, 원뿔, 구에 대하여 바르게 설명한 것에 ○표, 잘못 설명한 것에 ×표 하세요.

원기둥의 두 밑면은 서로 합동입니다. (○)

원뿔의 꼭짓점에서 밑면에 수직인 ~~선분은 모선~~입니다. (×)
선분의 길이는 높이

구는 보는 방향에 따라 모양이 다릅니다. (×)
구는 어느 방향에서 보아도 원입니다.

원뿔의 꼭짓점은 1개입니다. (○)

원뿔의 모선은 1개입니다. (×)
원뿔의 모선은 무수히 많습니다.

원뿔의 모선의 길이는 높이보다 더 깁니다. (○)
한 원뿔에서 모선의 길이는 항상 높이보다 더 깁니다.

구의 반지름은 무수히 많습니다. (○)

월 일

⑪ 두 입체도형의 공통점으로 알맞은 것을 모두 찾아 기호를 써 보세요.

원기둥과 원뿔

㉠ 밑면의 모양이 원입니다.
㉡ 밑면의 수가 같습니다. → 원기둥 2개, 원뿔 1개
㉢ 옆면은 굽은 면입니다.
㉣ 앞에서 본 모양이 같습니다. → 원기둥은 직사각형, 원뿔은 이등변삼각형

(㉠, ㉢)

원뿔과 구

㉠ 뾰족한 부분이 있습니다. → 구×
㉡ 굽은 면이 있습니다.
㉢ 꼭짓점이 있습니다. → 구×
㉣ 위에서 본 모양이 같습니다. → 원뿔과 구 모두 원

(㉡, ㉣)

원기둥과 구

㉠ 평평한 면이 있습니다. → 구×
㉡ 앞에서 본 모양이 같습니다. → 원기둥은 직사각형, 구는 원
㉢ 위에서 본 모양이 같습니다. → 원기둥과 구 모두 원
㉣ 뾰족한 부분이 없습니다.

(㉢, ㉣)

42쪽

⑪ 원기둥과 각기둥, 원뿔과 각뿔에 대한 설명으로 잘못 설명한 것의 기호를 쓰고, 그 이유를 써 보세요.

㉠ 원기둥과 각기둥은 모두 밑면이 2개입니다.
㉡ 원기둥과 각기둥은 모두 두 밑면이 합동입니다.
㉢ 원기둥은 각기둥이라고 할 수 있습니다.
㉣ 원기둥과 각기둥을 앞에서 본 모양은 모두 직사각형입니다.

잘못 설명한 것 ㉢

이유 예 원기둥은 밑면이 원이므로 각기둥이 아닙니다.
원기둥은 밑면이 다각형이 아니므로 각기둥이 아닙니다.
원기둥은 굽은 면이 있으므로 각기둥이 아닙니다. 등

㉠ 원뿔의 밑면은 원이고, 각뿔의 밑면은 다각형입니다.
㉡ 원뿔과 각뿔을 앞에서 본 모양은 모두 삼각형입니다.
㉢ 원뿔은 굽은 면이 있고, 각뿔은 굽은 면이 없습니다.
㉣ 원뿔은 꼭짓점이 없지만 각뿔은 꼭짓점이 있습니다.

잘못 설명한 것 ㉣

이유 예 원뿔은 원뿔의 꼭짓점이 있습니다.

[원기둥, 원뿔, 구]

	원기둥	원뿔	구
모양	기둥 모양	뿔 모양	공 모양
밑면	2개	1개	×
굽은 면	○	○	○
평평한 면	2개	1개	×
뾰족한 부분	×	○	×
위 모양	원	원	원
앞 모양	직사각형	이등변삼각형	원
옆 모양	직사각형	이등변삼각형	원

*원뿔은 앞에서 본 모양이 이등변삼각형이 아닌 경우도 있지만 초등 과정에서는 회전체로써의 원뿔(직원뿔)만 다루므로 이등변삼각형이라고 해도 됩니다.

4주차 원기둥의 전개도

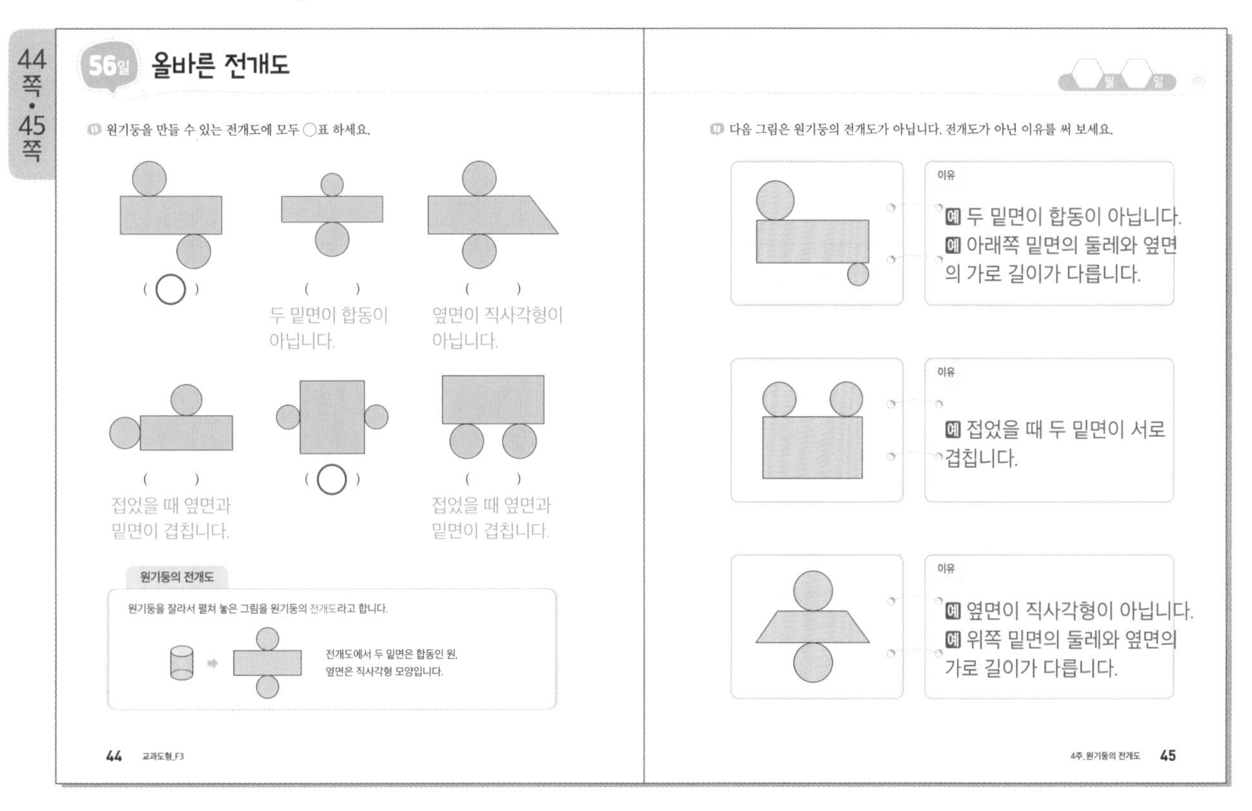

44쪽・45쪽
56일 올바른 전개도
원기둥을 만들 수 있는 전개도에 모두 ○표 하세요.
(○)
두 밑면이 합동이 아닙니다.
옆면이 직사각형이 아닙니다.
접었을 때 옆면과 밑면이 겹칩니다.
(○)
접었을 때 옆면과 밑면이 겹칩니다.
원기둥의 전개도
원기둥을 잘라서 펼쳐 놓은 그림을 원기둥의 전개도라고 합니다.
전개도에서 두 밑면은 합동인 원, 옆면은 직사각형 모양입니다.
다음 그림은 원기둥의 전개도가 아닙니다. 전개도가 아닌 이유를 써 보세요.
이유
예 두 밑면이 합동이 아닙니다.
예 아래쪽 밑면의 둘레와 옆면의 가로 길이가 다릅니다.
이유
예 접었을 때 두 밑면이 서로 겹칩니다.
이유
예 옆면이 직사각형이 아닙니다.
예 위쪽 밑면의 둘레와 옆면의 가로 길이가 다릅니다.
44 교과도형_F3
4주_원기둥의 전개도 45

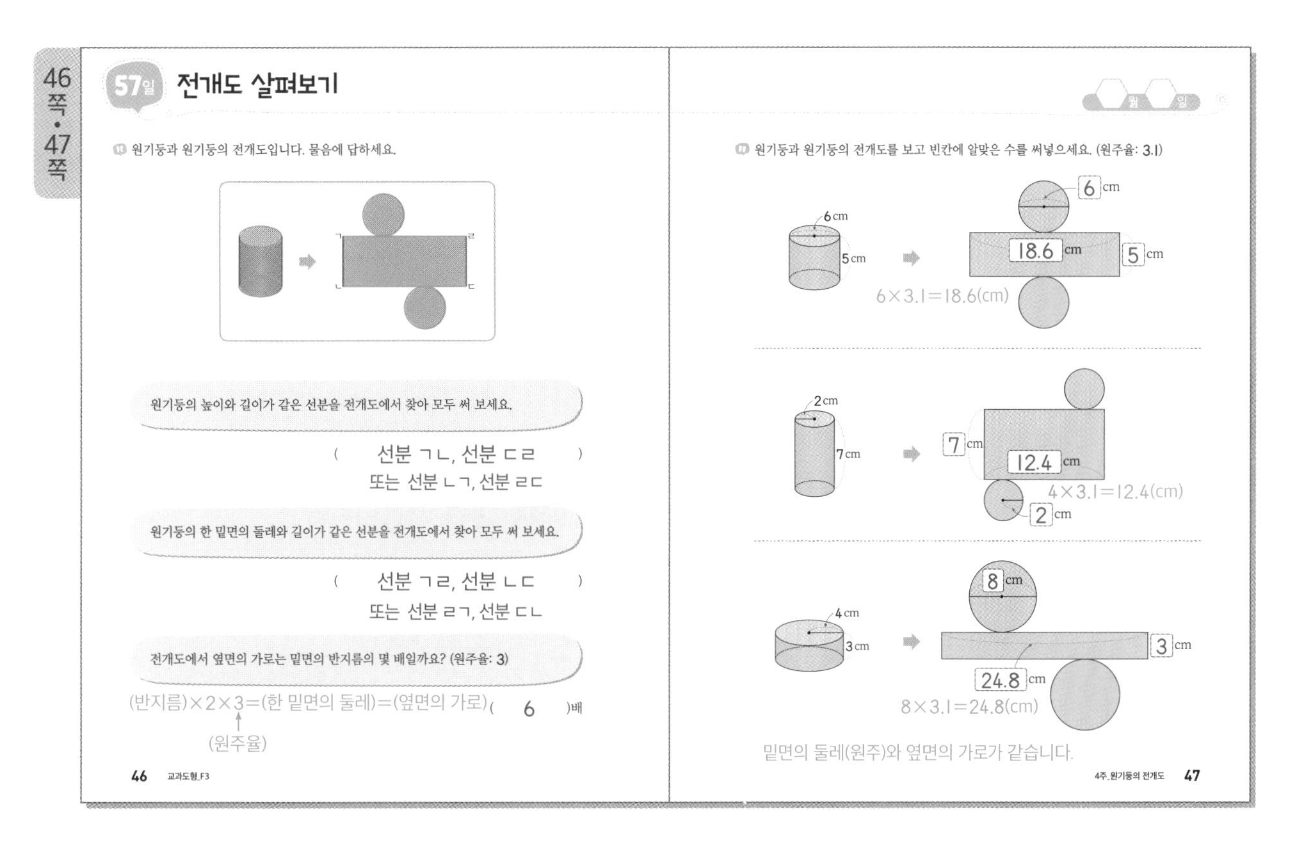

46쪽・47쪽
57일 전개도 살펴보기
원기둥과 원기둥의 전개도입니다. 물음에 답하세요.
ㄱ
ㄹ
ㄴ
ㄷ
원기둥의 높이와 길이가 같은 선분을 전개도에서 찾아 모두 써 보세요.
(선분 ㄱㄴ, 선분 ㄷㄹ 또는 선분 ㄴㄱ, 선분 ㄹㄷ)
원기둥의 한 밑면의 둘레와 길이가 같은 선분을 전개도에서 찾아 모두 써 보세요.
(선분 ㄱㄹ, 선분 ㄴㄷ 또는 선분 ㄹㄱ, 선분 ㄷㄴ)
전개도에서 옆면의 가로는 밑면의 반지름의 몇 배일까요? (원주율: 3)
(반지름)×2×3=(한 밑면의 둘레)=(옆면의 가로) (6)배
(원주율)
원기둥과 원기둥의 전개도를 보고 빈칸에 알맞은 수를 써넣으세요. (원주율: 3.1)
6 cm
5 cm
6 cm
18.6 cm
5 cm
6×3.1=18.6(cm)
2 cm
7 cm
7 cm
12.4 cm
4×3.1=12.4(cm)
2 cm
4 cm
3 cm
8 cm
3 cm
24.8 cm
8×3.1=24.8(cm)
밑면의 둘레(원주)와 옆면의 가로가 같습니다.
46 교과도형_F3
4주_원기둥의 전개도 47

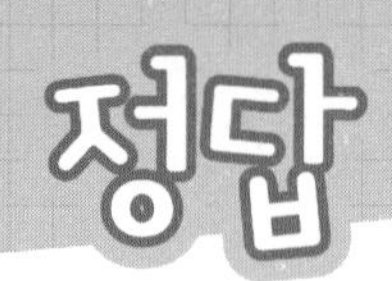

48쪽·49쪽

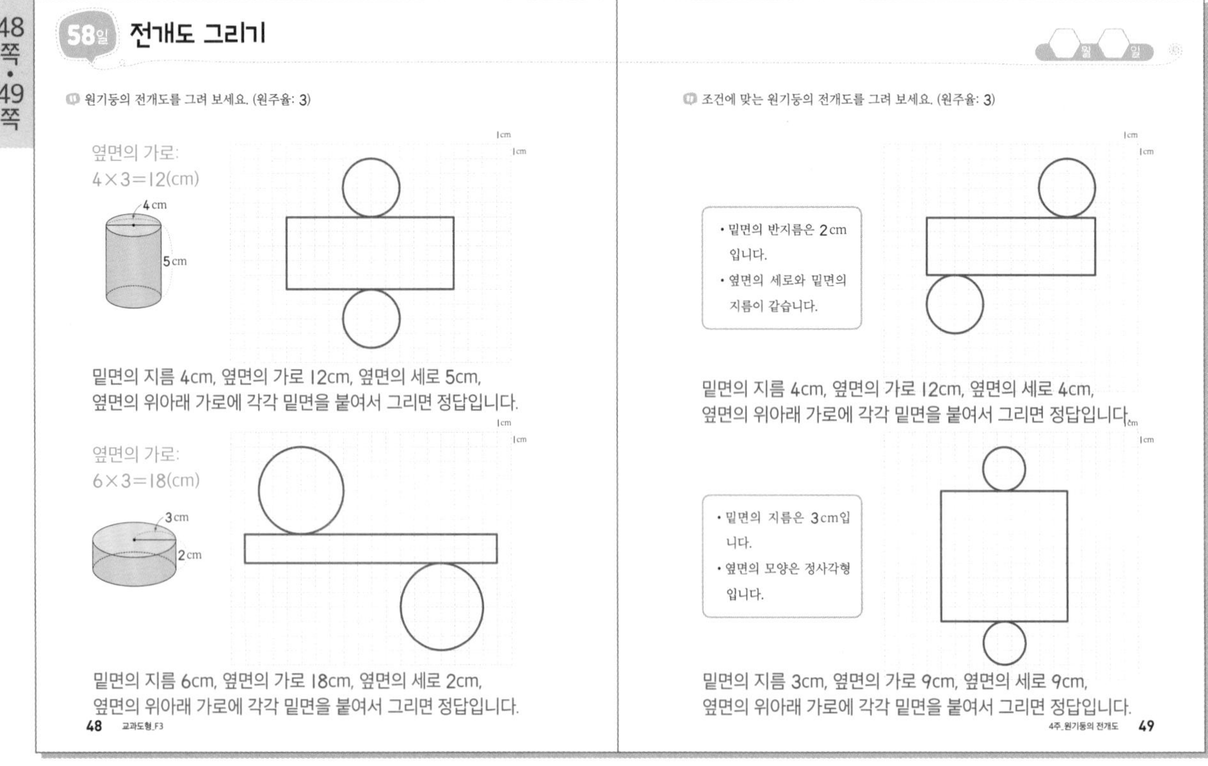

58일 전개도 그리기

원기둥의 전개도를 그려 보세요. (원주율: 3)

옆면의 가로:
$4\times3=12$(cm)

밑면의 지름 4cm, 옆면의 가로 12cm, 옆면의 세로 5cm,
옆면의 위아래 가로에 각각 밑면을 붙여서 그리면 정답입니다.

옆면의 가로:
$6\times3=18$(cm)

밑면의 지름 6cm, 옆면의 가로 18cm, 옆면의 세로 2cm,
옆면의 위아래 가로에 각각 밑면을 붙여서 그리면 정답입니다.

월 일

조건에 맞는 원기둥의 전개도를 그려 보세요. (원주율: 3)

- 밑면의 반지름은 2 cm 입니다.
- 옆면의 세로와 밑면의 지름이 같습니다.

밑면의 지름 4cm, 옆면의 가로 12cm, 옆면의 세로 4cm,
옆면의 위아래 가로에 각각 밑면을 붙여서 그리면 정답입니다.

- 밑면의 지름은 3 cm입니다.
- 옆면의 모양은 정사각형입니다.

밑면의 지름 3cm, 옆면의 가로 9cm, 옆면의 세로 9cm,
옆면의 위아래 가로에 각각 밑면을 붙여서 그리면 정답입니다.

50쪽·51쪽

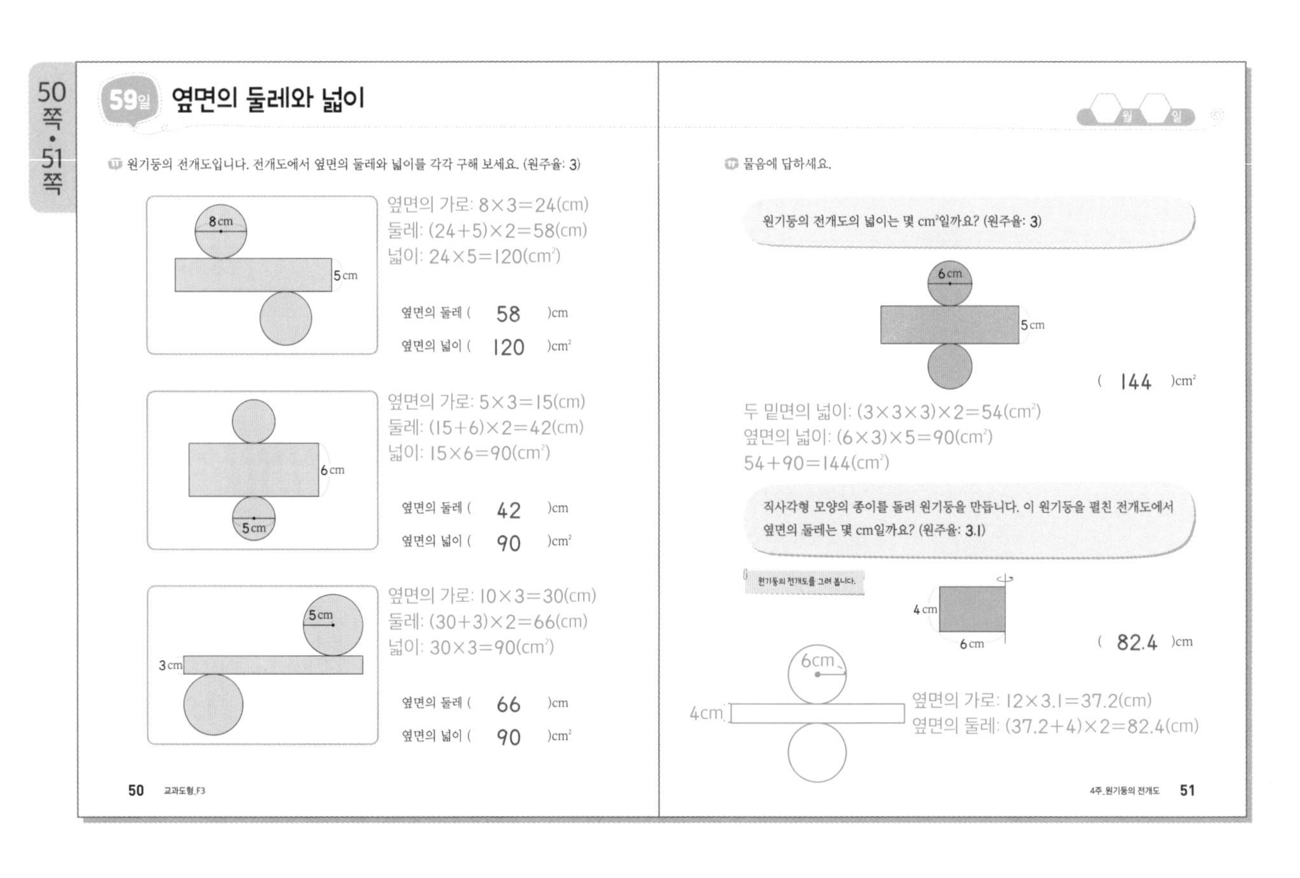

59일 옆면의 둘레와 넓이

원기둥의 전개도입니다. 전개도에서 옆면의 둘레와 넓이를 각각 구해 보세요. (원주율: 3)

옆면의 가로: $8\times3=24$(cm)
둘레: $(24+5)\times2=58$(cm)
넓이: $24\times5=120$(cm^2)

옆면의 둘레 (58)cm
옆면의 넓이 (120)cm^2

옆면의 가로: $5\times3=15$(cm)
둘레: $(15+6)\times2=42$(cm)
넓이: $15\times6=90$(cm^2)

옆면의 둘레 (42)cm
옆면의 넓이 (90)cm^2

옆면의 가로: $10\times3=30$(cm)
둘레: $(30+3)\times2=66$(cm)
넓이: $30\times3=90$(cm^2)

옆면의 둘레 (66)cm
옆면의 넓이 (90)cm^2

월 일

물음에 답하세요.

원기둥의 전개도의 넓이는 몇 cm^{2}일까요? (원주율: 3)

(144)cm^2

두 밑면의 넓이: $(3\times3\times3)\times2=54$(cm^2)
옆면의 넓이: $(6\times3)\times5=90$(cm^2)
$54+90=144$(cm^2)

직사각형 모양의 종이를 돌려 원기둥을 만듭니다. 이 원기둥을 펼친 전개도에서 옆면의 둘레는 몇 cm일까요? (원주율: 3.1)

원기둥의 전개도를 그려 봅니다.

(82.4)cm

옆면의 가로: $12\times3.1=37.2$(cm)
옆면의 둘레: $(37.2+4)\times2=82.4$(cm)

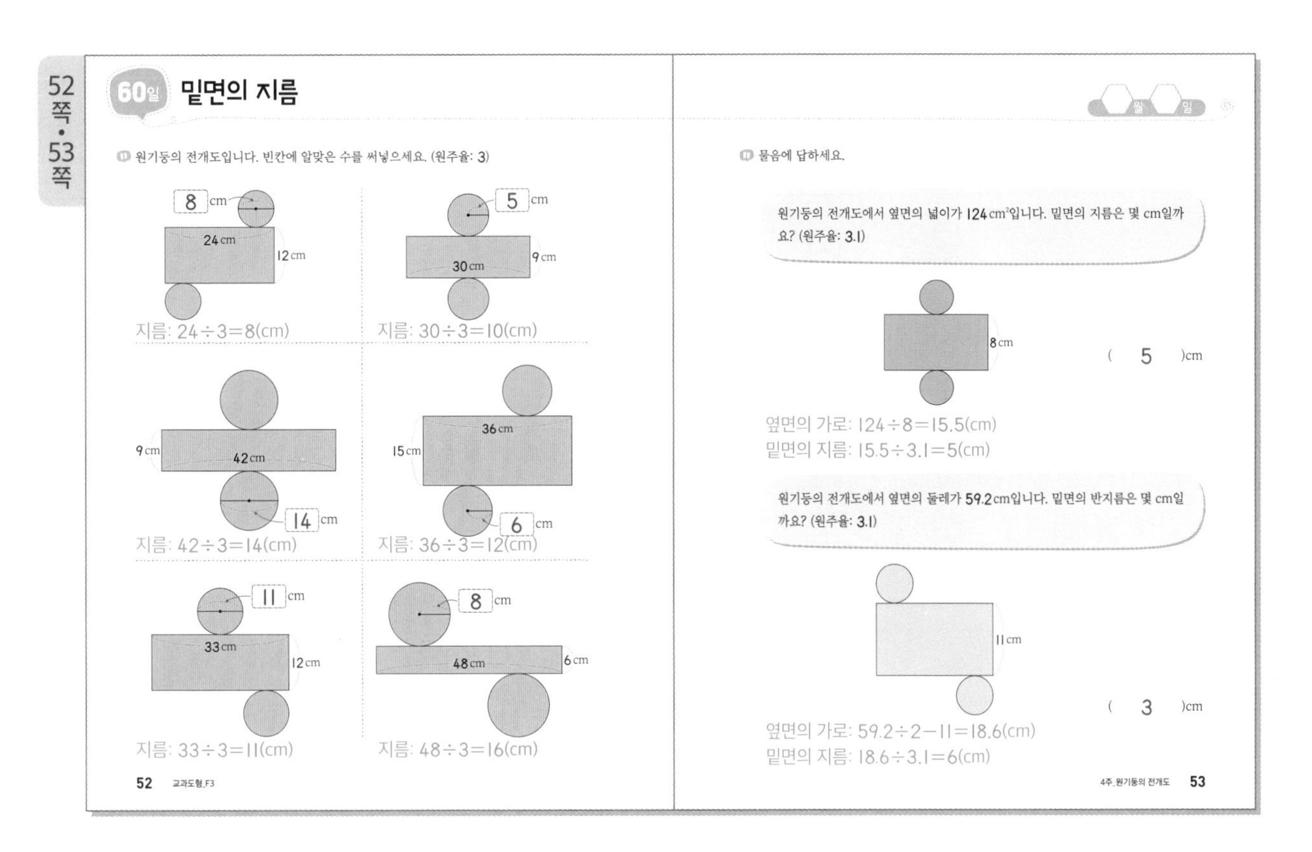

52쪽·53쪽

60일 밑면의 지름

1 원기둥의 전개도입니다. 빈칸에 알맞은 수를 써넣으세요. (원주율: 3)

지름: $24 \div 3 = 8$(cm)

지름: $30 \div 3 = 10$(cm)

지름: $42 \div 3 = 14$(cm)

지름: $36 \div 3 = 12$(cm)

지름: $33 \div 3 = 11$(cm)

지름: $48 \div 3 = 16$(cm)

2 물음에 답하세요.

원기둥의 전개도에서 옆면의 넓이가 124 cm^2입니다. 밑면의 지름은 몇 cm일까요? (원주율: 3.1)

(5)cm

옆면의 가로: $124 \div 8 = 15.5$(cm)

밑면의 지름: $15.5 \div 3.1 = 5$(cm)

원기둥의 전개도에서 옆면의 둘레가 59.2 cm입니다. 밑면의 반지름은 몇 cm일까요? (원주율: 3.1)

(3)cm

옆면의 가로: $59.2 \div 2 - 11 = 18.6$(cm)

밑면의 지름: $18.6 \div 3.1 = 6$(cm)

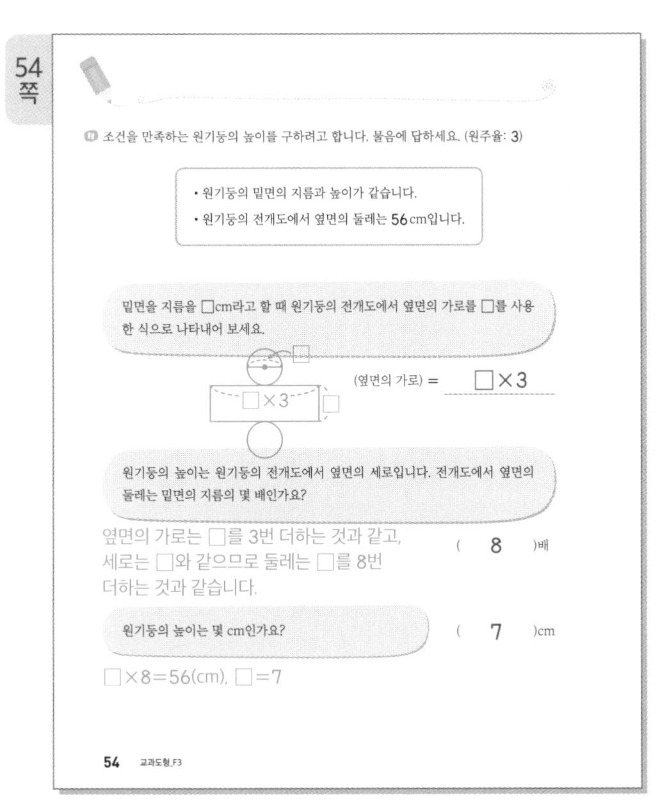

54쪽

3 조건을 만족하는 원기둥의 높이를 구하려고 합니다. 물음에 답하세요. (원주율: 3)

- 원기둥의 밑면의 지름과 높이가 같습니다.
- 원기둥의 전개도에서 옆면의 둘레는 56 cm입니다.

밑면을 지름을 □cm라고 할 때 원기둥의 전개도에서 옆면의 가로를 □를 사용한 식으로 나타내어 보세요.

(옆면의 가로) = □×3

원기둥의 높이는 원기둥의 전개도에서 옆면의 세로입니다. 전개도에서 옆면의 둘레는 밑면의 지름의 몇 배인가요?

(8)배

옆면의 가로는 □를 3번 더하는 것과 같고, 세로는 □와 같으므로 둘레는 □를 8번 더하는 것과 같습니다.

원기둥의 높이는 몇 cm인가요?

(7)cm

□×8=56(cm), □=7

도형플러스+ 원을 이용한 넓이

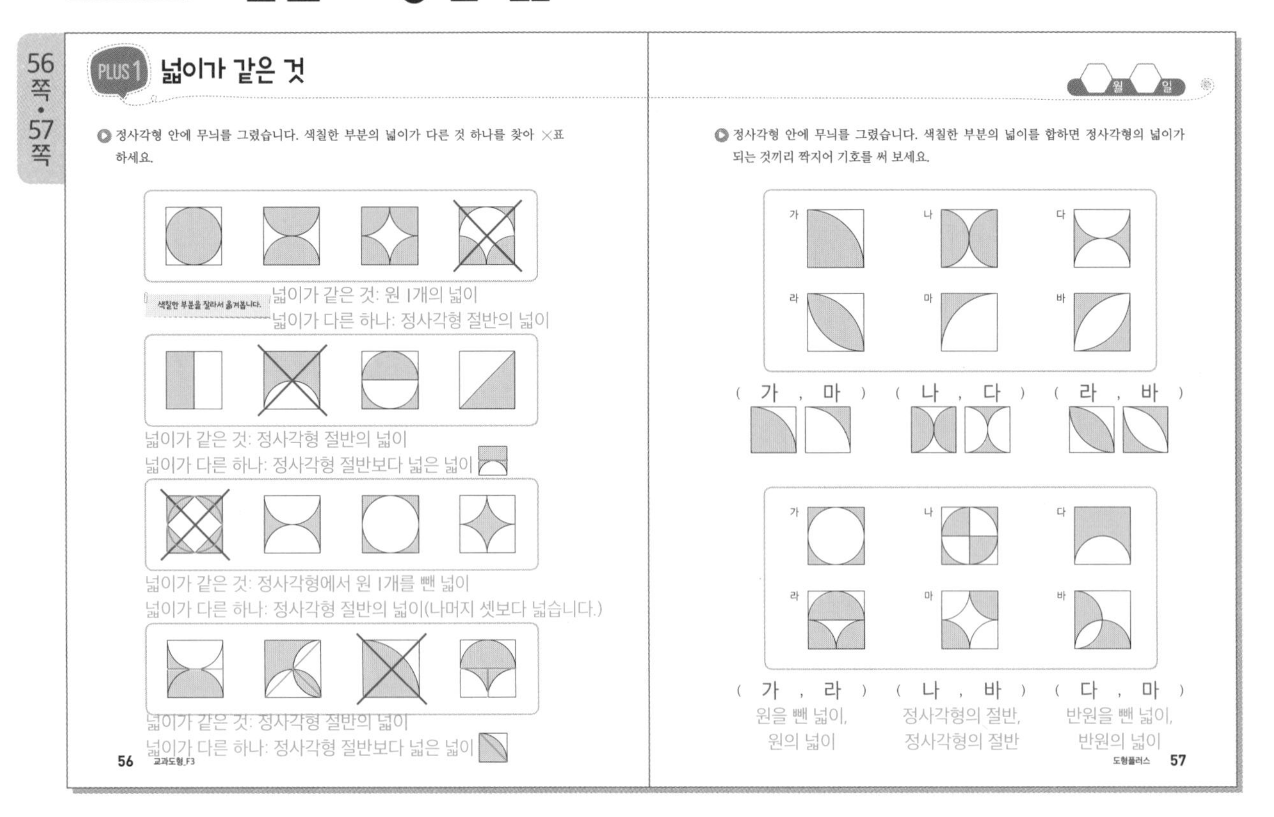

56쪽·57쪽

PLUS 1 넓이가 같은 것

월 일

정사각형 안에 무늬를 그렸습니다. 색칠한 부분의 넓이가 다른 것 하나를 찾아 ×표 하세요.

색칠한 부분을 잘라서 옮겨봅니다.

넓이가 같은 것: 원 1개의 넓이
넓이가 다른 하나: 정사각형 절반의 넓이

넓이가 같은 것: 정사각형 절반의 넓이
넓이가 다른 하나: 정사각형 절반보다 넓은 넓이

넓이가 같은 것: 정사각형에서 원 1개를 뺀 넓이
넓이가 다른 하나: 정사각형 절반의 넓이(나머지 셋보다 넓습니다.)

넓이가 같은 것: 정사각형 절반의 넓이
넓이가 다른 하나: 정사각형 절반보다 넓은 넓이

56 교과도형_F3

정사각형 안에 무늬를 그렸습니다. 색칠한 부분의 넓이를 합하면 정사각형의 넓이가 되는 것끼리 짝지어 기호를 써 보세요.

가 나 다 라 마 바

(가 , 마) (나 , 다) (라 , 바)

가 나 다 라 마 바

(가 , 라) (나 , 바) (다 , 마)
원을 뺀 넓이, 원의 넓이 / 정사각형의 절반, 정사각형의 절반 / 반원을 뺀 넓이, 반원의 넓이

도형플러스 57

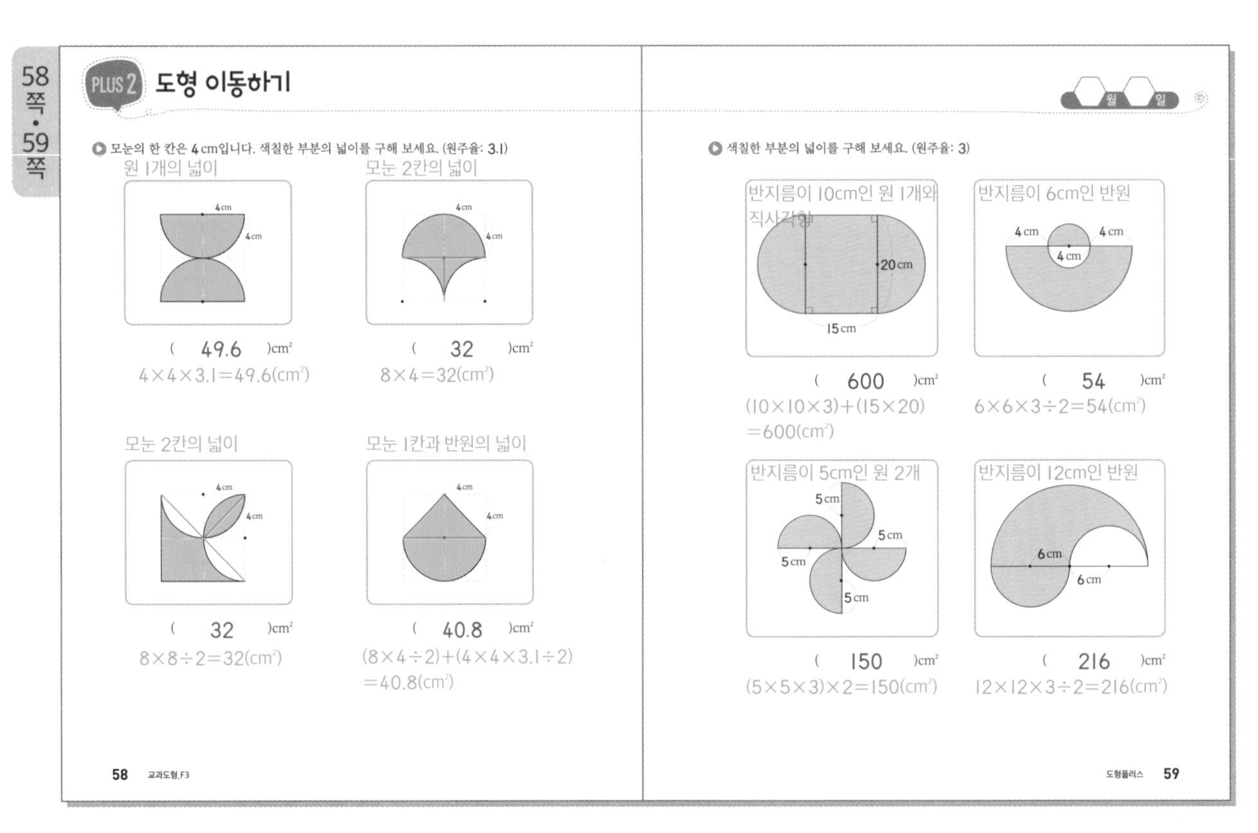

58쪽·59쪽

PLUS 2 도형 이동하기

월 일

모눈의 한 칸은 4 cm입니다. 색칠한 부분의 넓이를 구해 보세요. (원주율: 3.1)

원 1개의 넓이
(49.6)cm²
$4\times4\times3.1=49.6(cm^2)$

모눈 2칸의 넓이
(32)cm²
$8\times4=32(cm^2)$

모눈 2칸의 넓이
(32)cm²
$8\times8\div2=32(cm^2)$

모눈 1칸과 반원의 넓이
(40.8)cm²
$(8\times4\div2)+(4\times4\times3.1\div2)=40.8(cm^2)$

58 교과도형_F3

색칠한 부분의 넓이를 구해 보세요. (원주율: 3)

반지름이 10cm인 원 1개와 직사각형
(600)cm²
$(10\times10\times3)+(15\times20)=600(cm^2)$

반지름이 6cm인 반원
(54)cm²
$6\times6\times3\div2=54(cm^2)$

반지름이 5cm인 원 2개
(150)cm²
$(5\times5\times3)\times2=150(cm^2)$

반지름이 12cm인 반원
(216)cm²
$12\times12\times3\div2=216(cm^2)$

도형플러스 59

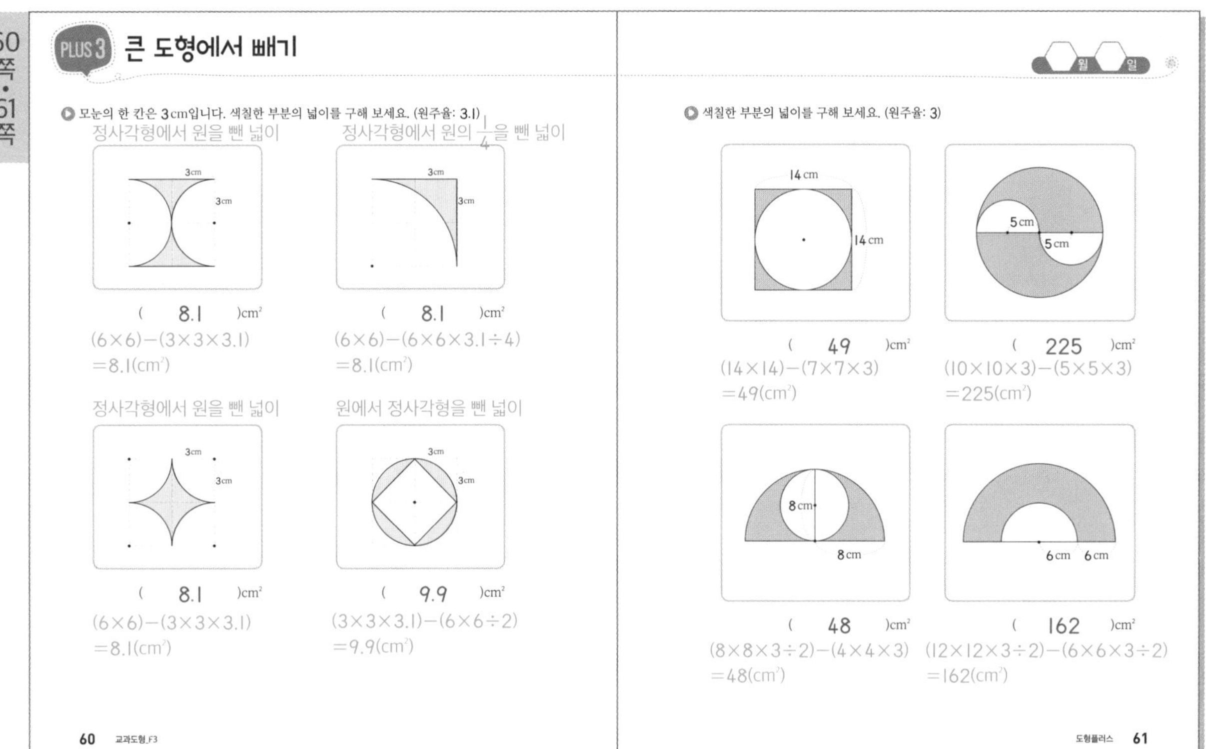

PLUS 3 큰 도형에서 빼기

월 일

모눈의 한 칸은 3 cm입니다. 색칠한 부분의 넓이를 구해 보세요. (원주율: 3.1)

정사각형에서 원을 뺀 넓이

(8.1)cm^2

$(6\times6)-(3\times3\times3.1)$
$=8.1(cm^2)$

정사각형에서 원의 $\frac{1}{4}$을 뺀 넓이

(8.1)cm^2

$(6\times6)-(6\times6\times3.1\div4)$
$=8.1(cm^2)$

정사각형에서 원을 뺀 넓이

(8.1)cm^2

$(6\times6)-(3\times3\times3.1)$
$=8.1(cm^2)$

원에서 정사각형을 뺀 넓이

(9.9)cm^2

$(3\times3\times3.1)-(6\times6\div2)$
$=9.9(cm^2)$

색칠한 부분의 넓이를 구해 보세요. (원주율: 3)

(49)cm^2

$(14\times14)-(7\times7\times3)$
$=49(cm^2)$

(225)cm^2

$(10\times10\times3)-(5\times5\times3)$
$=225(cm^2)$

(48)cm^2

$(8\times8\times3\div2)-(4\times4\times3)$
$=48(cm^2)$

(162)cm^2

$(12\times12\times3\div2)-(6\times6\times3\div2)$
$=162(cm^2)$

60 교과도형_F3

도형플러스 61

64쪽·65쪽

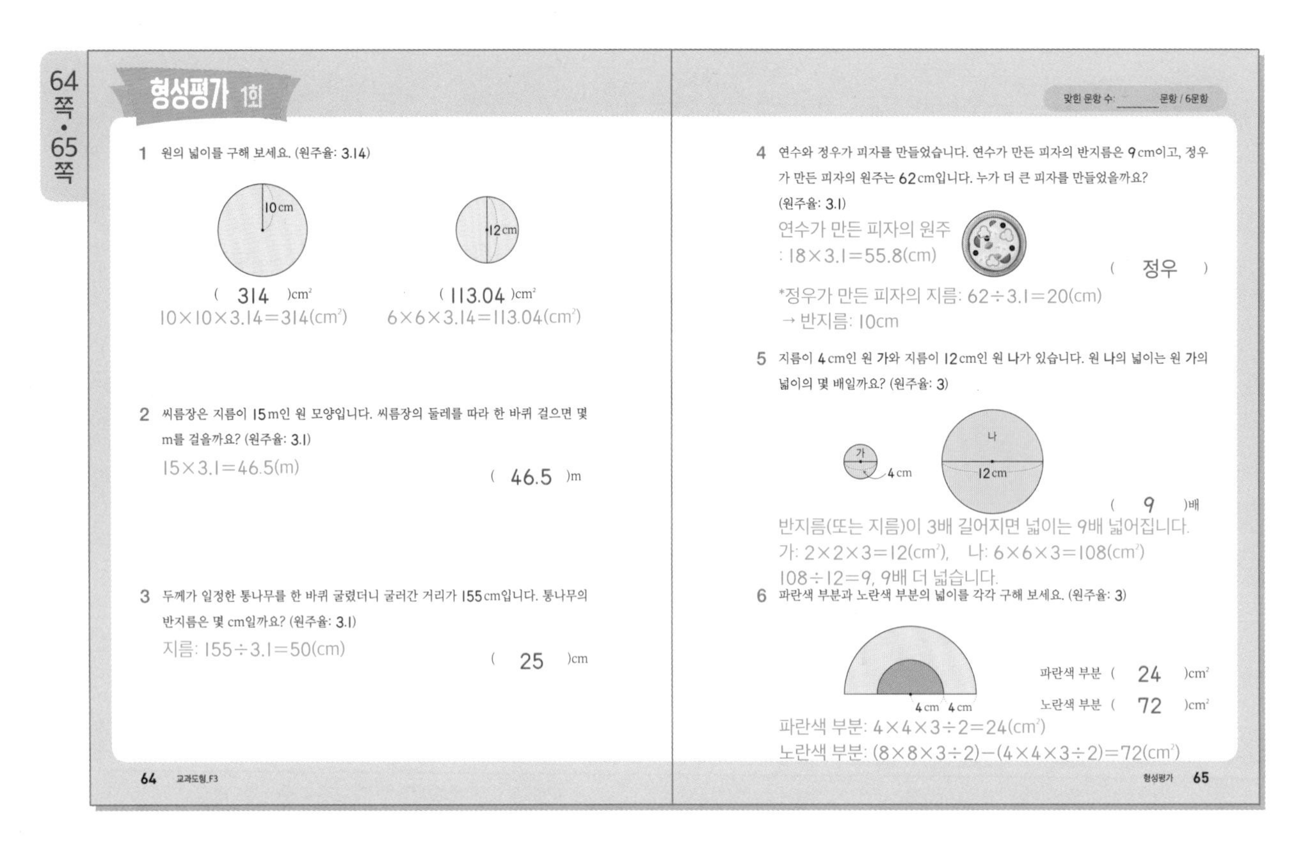

형성평가 1회

맞힌 문항 수: ______ 문항 / 6문항

1 원의 넓이를 구해 보세요. (원주율: 3.14)

(314)cm^2 (113.04)cm^2

$10\times10\times3.14=314(cm^2)$ $6\times6\times3.14=113.04(cm^2)$

2 씨름장은 지름이 15 m인 원 모양입니다. 씨름장의 둘레를 따라 한 바퀴 걸으면 몇 m를 걸을까요? (원주율: 3.1)

$15\times3.1=46.5(m)$

(46.5)m

3 두께가 일정한 통나무를 한 바퀴 굴렸더니 굴러간 거리가 155 cm입니다. 통나무의 반지름은 몇 cm일까요? (원주율: 3.1)

지름: $155\div3.1=50(cm)$

(25)cm

4 연수와 정우가 피자를 만들었습니다. 연수가 만든 피자의 반지름은 9 cm이고, 정우가 만든 피자의 원주는 62 cm입니다. 누가 더 큰 피자를 만들었을까요? (원주율: 3.1)

연수가 만든 피자의 원주 : $18\times3.1=55.8(cm)$

(정우)

*정우가 만든 피자의 지름: $62\div3.1=20(cm)$
→ 반지름: 10cm

5 지름이 4 cm인 원 가와 지름이 12 cm인 원 나가 있습니다. 원 나의 넓이는 원 가의 넓이의 몇 배일까요? (원주율: 3)

(9)배

반지름(또는 지름)이 3배 길어지면 넓이는 9배 넓어집니다.
가: $2\times2\times3=12(cm^2)$, 나: $6\times6\times3=108(cm^2)$
$108\div12=9$, 9배 더 넓습니다.

6 파란색 부분과 노란색 부분의 넓이를 각각 구해 보세요. (원주율: 3)

파란색 부분 (24)cm^2
노란색 부분 (72)cm^2

파란색 부분: $4\times4\times3\div2=24(cm^2)$
노란색 부분: $(8\times8\times3\div2)-(4\times4\times3\div2)=72(cm^2)$

64 교과도형_F3 형성평가 65

66쪽·67쪽

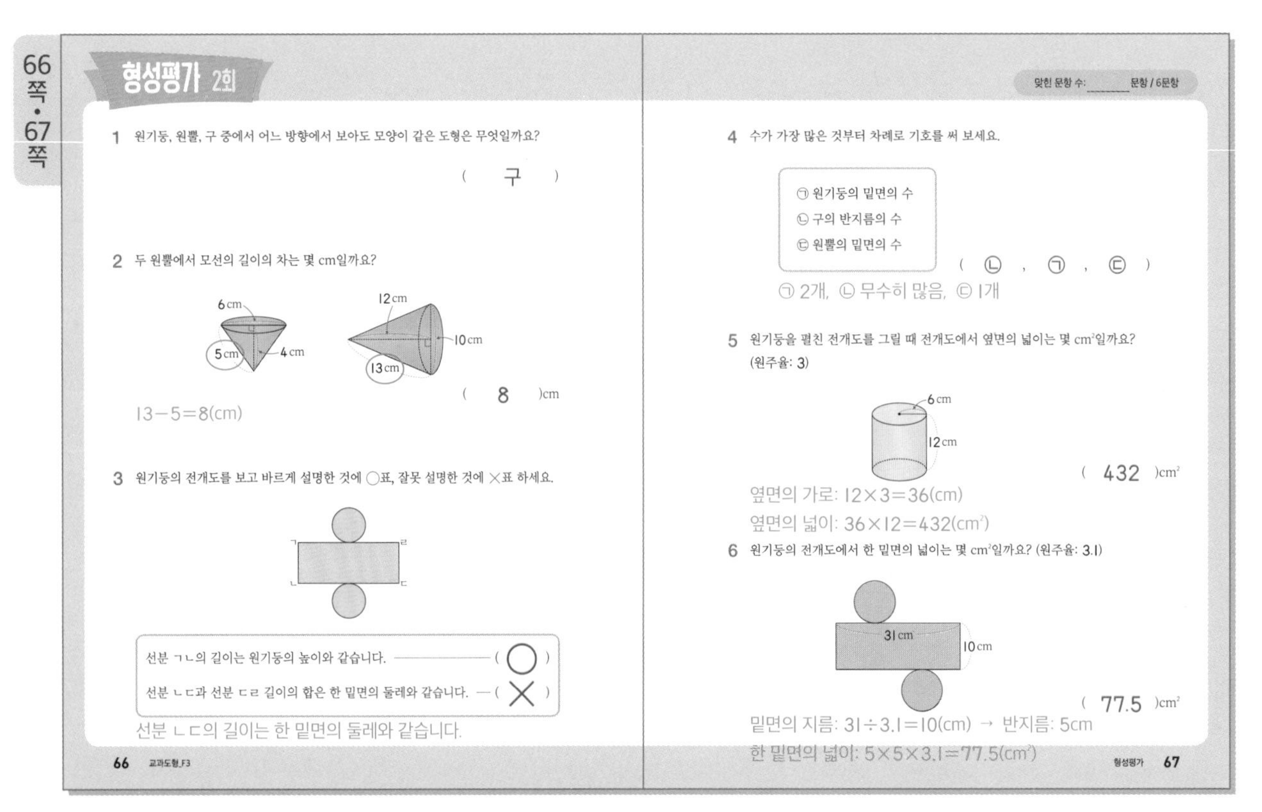

형성평가 2회

맞힌 문항 수: ______ 문항 / 6문항

1 원기둥, 원뿔, 구 중에서 어느 방향에서 보아도 모양이 같은 도형은 무엇일까요?

(구)

2 두 원뿔에서 모선의 길이의 차는 몇 cm일까요?

(8)cm

$13-5=8(cm)$

3 원기둥의 전개도를 보고 바르게 설명한 것에 ○표, 잘못 설명한 것에 ×표 하세요.

선분 ㄱㄴ의 길이는 원기둥의 높이와 같습니다. (○)
선분 ㄴㄷ과 선분 ㄷㄹ 길이의 합은 한 밑면의 둘레와 같습니다. (×)

선분 ㄴㄷ의 길이는 한 밑면의 둘레와 같습니다.

4 수가 가장 많은 것부터 차례로 기호를 써 보세요.

㉠ 원기둥의 밑면의 수
㉡ 구의 반지름의 수
㉢ 원뿔의 밑면의 수

(㉡ , ㉠ , ㉢)

㉠ 2개, ㉡ 무수히 많음, ㉢ 1개

5 원기둥을 펼친 전개도를 그릴 때 전개도에서 옆면의 넓이는 몇 cm^2일까요? (원주율: 3)

(432)cm^2

옆면의 가로: $12\times3=36(cm)$
옆면의 넓이: $36\times12=432(cm^2)$

6 원기둥의 전개도에서 한 밑면의 넓이는 몇 cm^2일까요? (원주율: 3.1)

(77.5)cm^2

밑면의 지름: $31\div3.1=10(cm)$ → 반지름: 5cm
한 밑면의 넓이: $5\times5\times3.1=77.5(cm^2)$

66 교과도형_F3 형성평가 67